COLLECTION / SANTÉ

Guides pratiques

LE MAL DE DOS DÉMYSTIFIÉ

Données de catalogage avant publication (Canada)

Sarno, John E., 1923-

    Le mal de dos démystifié

    (Collection Santé. Guides pratiques).
Traduction de: Mind over back pain.

    ISBN 2-89037-435-1

    1. Dorsalgie. 2. Dorsalgie – Etiologie. 3. Stress (Psychologie).
I. Titre. II. Collection.

RD768.S2714 1989 617'. 56 C89-096003-8

Ce livre a été produit avec un ordinateur Macintosh
de Apple Computer Inc.

Édition originale publiée par
William Morrow and Company, Inc., New York
sous le titre *Mind over Back Pain – A radically new approach to
the diagnosis and treatment of back pain.*

Édition en langue française:
© 1989, Éditions Québec/Amérique

Dépôt légal
Bibliothèque nationale du Québec
1er trimestre 1989
ISBN 2-89037-435-1

Montage
Andréa Joseph

JOHN SARNO, M.D.

LE
MAL
DE
DOS
DÉMYSTIFIÉ

PRÉSENTÉ PAR
DANIEL MOREAU, M.Sc.

TRADUIT DE L'ANGLAIS PAR DANIEL MOREAU,
AVEC LA COLLABORATION DE SYLVAIN AUCLAIR

ÉDITIONS QUÉBEC/AMÉRIQUE

425, rue Saint-Jean-Baptiste, Montréal, Québec H2Y 2Z7 (514) 393-1450

Table des matières

Préface

Lorsque j'ai lu ce livre pour la première fois, j'ai su qu'il répondait à un besoin véritable auprès d'une clientèle que je côtoie quotidiennement. En fait, depuis quelques années ma carrière de psychologue s'est orientée en réadaptation, auprès de gens qui ont des problèmes de santé chroniques à la suite d'une maladie grave ou d'un accident. Je suis donc régulièrement confronté aux liens étroits qui existent entre la tête et le corps, c'est-à-dire entre les facteurs psychologiques et physiologiques. Pour aider mes clients à comprendre ce qu'ils vivent, je consacre une partie de mes interventions à les informer le plus adéquatement possible. La compréhension du processus qui les affecte les amène à prendre davantage conscience du rôle actif qu'ils doivent jouer dans leur propre guérison.

Quant au mal de dos, cette calamité des temps modernes, il reste une énigme même pour nombre de spécialistes en la matière. Les travaux du Dr Sarno proposent des réponses intéressantes; en particulier, ils établissent clairement le lien entre le processus physiologique et les facteurs psychologiques. De plus, leur remise en question de l'approche médicale actuelle ne peut apporter qu'air frais et renouvellement dans un secteur qui en a bien besoin.

Cet ouvrage qui, à mon avis, constitue un apport important pour le soulagement du mal de dos, a provoqué de terribles réactions aux États-Unis, surtout de la part de l'«establishment» médical. Le Dr Sarno, qui travaillait dans un centre hospitalier universitaire et y enseignait aux internes, est aujourd'hui boycotté par ses collègues et on lui refuse d'enseigner ses idées. On dirait l'histoire de Galilée qui se répète! Pas étonnant que les médecines douces foisonnent. Cependant le Dr Sarno s'est donné comme mission de faire triompher la vérité, peu importe les pressions du milieu. Son honnêteté intellectuelle m'a étonné.

Après l'exposé des propos de John Sarno, je vous offre une mise à jour de cette approche ainsi que quelques pistes de réflexion.

Daniel Moreau, M. Sc.

Introduction

Le mal de dos est une véritable épidémie en Occident. C'est une des raisons les plus fréquentes pour consulter un médecin. C'est aussi la plus importante cause d'absentéisme au Canada, aux États-Unis, en Suède et en Grande-Bretagne, et il coûte chaque année des milliards de dollars en frais médicaux[1]. De 80 à 90 p. 100 des Nord-Américains souffriront sans doute au cours de leur vie de douleurs au cou, aux épaules ou au dos. Finalement, ce mal est très gênant; il provoque le plus souvent des changements importants dans la vie des personnes atteintes. De nombreuses activités de loisir leur deviennent inaccessibles ou, ce qui est pire, ces personnes ne pourront plus effectuer leurs tâches quotidiennes.

Il s'agit d'un phénomène bien du XXe siècle. Pourquoi? Comment cela est-il arrivé? À une époque où la médecine accomplit presque des miracles, pourquoi n'est-elle pas capable de traiter ce problème si courant? Je pense que la communauté médicale n'a pas su reconnaître la cause principale du mal de dos. La littérature médicale sur ce sujet attribue ordinairement la douleur à des anomalies structurales de la colonne vertébrale. J'essaierai ici de démontrer que c'est la tension qui cause la plupart des maux de dos.

C'est en 1965, quand je suis devenu directeur de la clinique externe de l'*Institute of Rehabilitation Medicine* du *New York University Medical Center*, que j'ai pu m'apercevoir de l'importance du problème. Pour la première fois dans ma carrière médicale, j'ai rencontré de nombreux patients souffrant de maux au cou, aux épaules, au dos et aux fesses. Ayant reçu une formation médicale classique, j'avais l'impression que ces douleurs étaient dues à divers défauts structuraux de la colonne, le plus souvent de l'arthrose ou des problèmes discaux, ou à un vague trouble musculaire provoqué par une mauvaise posture, de la faiblesse ou par suite de l'emploi excessif des muscles. Je croyais que les nerfs et les malformations de la colonne jouaient un rôle dans les douleurs aux jambes ou aux bras. Je n'étais cependant pas certain de la manière dont ces défauts provoquaient la douleur. Je prescrivais des traitements sans être convaincu de leur pertinence. J'injectais parfois dans la région douloureuse un anesthésique local, avec des résultats mitigés. Le plus souvent, je prescrivais une physiothérapie avec ultra-sons, pour réchauffer les muscles, ainsi que des massages et des exercices. Personne ne savait trop à quoi ça servait, mais ça aidait parfois. On disait que l'exercice physique renforçait les muscles abdominaux et lombaires (du bas du dos) qui maintenaient alors mieux la colonne vertébrale.

J'étais frustré et déprimé de traiter des maux de dos, parce que je ne pouvais jamais prévoir le résultat de mes traitements. De plus, je me rendais de mieux en mieux compte que les pathologies communément admises n'expliquaient que très imparfaitement les douleurs rapportées par les patients et les résultats des examens. On aurait pu, par exemple, attribuer la douleur à de l'arthrose dans l'articulation de la dernière vertèbre lombaire, mais la localisation de la douleur n'avait souvent rien à voir avec cette vertèbre.

12

Peu à peu, je me suis mis à douter de l'exactitude des diagnostics traditionnels tout en me rendant compte que la douleur semblait avoir rapport avec ce qui se passait dans les muscles du cou, des épaules et du dos. Pendant cette période de transition, j'utilisais encore de la physiothérapie, avec habituellement de mauvais résultats, sauf pour certains patients. Mais je commençais à penser que les résultats avaient davantage à voir avec la relation que j'entretenais avec le patient qu'avec le traitement lui-même.

Après que j'ai été convaincu que la douleur était liée aux muscles, un autre élément important s'est ajouté. Des études révélaient que la plupart des personnes souffrant de maux de dos (88 p. 100) avaient eu des problèmes de migraines, de céphalées de tension, de brûlures ou d'ulcères d'estomac, de colite, de coliques, d'allergies ou d'autres troubles moins fréquents, tous reliés à la tension. J'en ai conclu que les douleurs musculaires pourraient aussi être dues à la tension. Quand cette hypothèse fut testée et les patients traités en conséquence, les résultats s'améliorèrent nettement. Il était même possible désormais de prévoir quels patients guériraient.

À ce moment, la cause de la douleur n'était pas entièrement claire, mais les spasmes musculaires jouaient certainement un rôle. Il était aussi visible que la tension était à l'origine de ces spasmes. Mais quels changements la tension produisait-elle dans le muscle, et quel rôle jouaient les nerfs?

D'autres observations chez des patients et une recension de travaux scientifiques m'ont suggéré l'hypothèse que la tension nuit à la circulation du sang dans les zones concernées, diminuant l'irrigation des muscles et des nerfs, avec comme résultat une douleur au dos ou dans les membres. Plus exactement, une baisse de l'apport sanguin entraîne une baisse de l'apport

13

d'oxygène dans les muscles et les nerfs, ce qui semble causer directement les douleurs.

J'ai ensuite pris connaissance des travaux de deux chercheurs allemands, les Drs H. G. Fassbender et K. Wegner. À l'aide d'un microscope électronique, ils ont étudié les tissus musculaires provenant de biopsies chez des personnes souffrant de mal de dos. Beaucoup plus puissant qu'un microscope ordinaire, le microscope électronique permet de voir l'intérieur des cellules. Ils ont trouvé dans les cellules musculaires des modifications explicables par un manque d'oxygène[2]. Ces travaux renforcent l'hypothèse que le mal de dos est causé par un manque d'oxygène dans les muscles.

Que pense le monde médical de cette explication? D'abord, la plupart des médecins n'en savent rien. J'ai écrit sur ce sujet de nombreux articles dans des revues médicales ainsi que des chapitres d'ouvrages spécialisés, mais le public atteint reste assez restreint: il s'agit surtout de médecins et d'autres praticiens du domaine de la physiatrie et de la réadaptation. Cependant, si j'en juge d'après les réactions des médecins de mon entourage, la plupart des gens ignorent ou rejettent ces idées. Plusieurs collègues de ma spécialité les trouvent intéressantes, mais sans trop savoir comment les appliquer. Cela est dû au fait que le problème n'est pas simplement «physique» et que la plupart des médecins sont mal à l'aise avec tout ce qui est psychologique. D'un autre côté, de plus en plus de médecins américains, en particulier les jeunes, accordent de l'importance aux émotions, en particulier au stress. J'espère que ce livre les encouragera à étudier davantage le cas des maux de dos.

Et si vous souffrez de maux de dos? Ce livre n'a pas pour but de poser un diagnostic et de prescrire un traitement. Quoique le problème des maux au cou, aux épaules et au dos ne soit pas si compliqué, chaque cas

14

est unique. Je relaterai ma longue expérience avec de nombreux patients, en espérant que le lecteur y trouvera son compte. Mais le problème dans son ensemble ne pourra être résolu que lorsque les médecins changeront leur perception des maux de dos.

En science, toute hypothèse doit être vérifiée par des expériences répétées. Pour qu'une nouvelle idée soit acceptée, tout doute doit être écarté. C'est pourquoi les idées exposées dans ce livre doivent encore faire l'objet de recherches. Mais à la suite des succès que j'obtiens dans le traitement du mal de dos, j'ai confiance que la recherche confirmera mon expérience, pour le bien de toutes les personnes handicapées par ces douleurs.

Références

1. GILBERTI, M.V. «Dilemmas of the Occupational Physician in Assessing Low Back Pain», *Occupational Medicine Current Concepts*, vol. 5 (Printemps 1982).

2. FASSBENDER, H. G. ET K. WEGNER. «Morphologie und Pathogenese des Weichteilrheumatismus», Z . *Rheumaforsch*, vol. 32 (1973), p. 355.

Chapitre premier

Anomalies structurales et douleurs

Quelle est votre première idée quand vous avez mal au cou, aux épaules ou au dos? «Je n'aurais pas dû tondre le gazon hier (ou laver l'auto, ou faire la lessive, ou repeindre le plafond).» «Ça doit être à cause de cette chute sur la glace, la semaine passée (ou le mois passé, ou l'an passé).» «J'ai dû trop courir (ou trop jouer au tennis, ou aux quilles).»

La plupart des gens attribuent leur mal à un quelconque événement. Puisque la douleur apparaît souvent après un traumatisme physique, l'hypothèse de l'accident semble plausible. Et les patients diront: «J'ai bien peur de me blesser de nouveau; je vais faire plus attention.»

Ces idées ont été encouragées par les médecins et par d'autres professionnels, qui considèrent toujours que les maux au cou, aux épaules ou au dos (fesses incluses) sont dus à des blessures ou à des maladies de la colonne vertébrale et des structures connexes. Ce qui est le plus souvent faux. Cependant, cette idée est si fortement ancrée chez les professionnels de la santé qu'un autre diagnostic est rarement envisagé.

D'où vient que la médecine est ainsi préoccupée par la colonne vertébrale? Depuis la fin du XIXe siècle, une vision mécaniste du corps humain imprègne fortement la pensée médicale. On voit le corps comme une machine extrêmement complexe, et les maladies comme des dérèglements d'origines diverses: certains viennent de l'extérieur, comme les infections ou les blessures, certains sont dus à l'hérédité et d'autres à l'usure des organes et systèmes. Mais les liens possibles entre les émotions et l'état de santé ou de maladie n'ont commencé à être considérés que récemment. De nos jours, la majorité des médecins ne croit pas que les émotions puissent jouer un rôle dans l'apparition des maladies; on croit cependant qu'elles peuvent aggraver une maladie d'origine physique déjà existante. Beaucoup d'entre eux se sentent mal à l'aise quand il s'agit de tenir compte de facteurs d'ordre psychologique.

Prenons l'exemple de l'ulcère à l'estomac. On sait depuis plusieurs années qu'il est dû à la tension, mais on le soigne de manière purement médicale, et non pas psychologique. On donne des médicaments pour réduire, et même prévenir, l'acidité stomacale. Bien que cette démarche soit tout à fait acceptable, il serait plus logique de s'attaquer aux causes réelles, de réduire la tension du patient. Mais les médecins laissent les émotions aux psychiatres, et s'occupent uniquement des problèmes «médicaux». Conséquemment, pour ce qui est des ulcères d'estomac, ils négligeront souvent la véritable cause. Si on tient compte de cette tradition, on ne s'étonne plus de les voir, en l'absence d'une preuve tangible, attribuer à des problèmes structuraux les douleurs au cou, aux épaules, au dos et aux fesses.

Si la cause des maux au cou, aux épaules, au dos et aux fesses n'est pas le plus souvent une anomalie structurale, qu'est-elle donc? Il s'agit bien entendu du sujet de ce livre.

En bref, mes recherches et mon expérience clinique des 18 dernières années m'amènent à dire que ces douleurs sont dues à la tension. Les victimes de maux de dos sont souvent tendues et cette tension cause des changements physiologiques dans les muscles et les nerfs du cou, des épaules et du dos. J'appelle cela le *syndrome de tension musculaire* (S.T.M.)[1, 2]. Il s'agit d'un problème circulatoire: la tension comprime les vaisseaux sanguins alimentant les muscles et l'irrigation diminue, ce qui cause spasmes et douleurs dans les muscles et douleurs dans les nerfs.

La douleur due au S.T.M. se manifeste de plusieurs manières dans le cou, les épaules, le dos, et aussi dans les jambes et les bras. Au cours des années, la douleur devient de plus en plus fréquente, et peut même devenir chronique. À cause de la douleur ou de la crainte de la douleur, on restreint son activité physique. Il peut devenir difficile de faire du sport, ou même de mettre ses souliers. On se sent mauvais parent ou mauvais conjoint: on ne peut plus jouer avec les enfants, on ne peut plus rester longtemps assis au cinéma ni même s'amuser et on devra dans certains cas cesser de faire l'amour. Le mari s'inquiète de la situation financière de sa famille; son épouse se sent coupable de ne plus être une bonne mère ni une bonne épouse.

Toutes ces conséquences engendrent de l'anxiété, ce qui augmente la tension, entretenant ainsi le processus de la douleur. Les malades deviennent craintifs, frustrés et déprimés. Ils se croient souvent seuls dans leur situation. Certains sont prêts à essayer tout ce qui pourrait les guérir et flambent des fortunes en consultations et traitements. Qui plus est, la peur s'installe dans leur vie: peur d'aggraver leur état, peur de nouvelles blessures au dos, peur de devenir handicapé, peur du cancer, en plus de la peur de la douleur, surtout de la douleur atroce des spasmes, si courants.

Tout ceci est regrettable, étant donné que le S.T.M. n'a que rarement des conséquences physiques. Il ne laisse jamais de séquelles aux muscles, et rarement aux nerfs. Ce n'est pas une maladie. L'intensité de la douleur est sans commune mesure avec ce que sa cause laisserait croire: il s'agit d'un processus semblable à celui d'une grosse crampe dans la jambe. Mais la peur crée un cercle vicieux.

Avant de passer à une description du S.T.M. et de son traitement, jetons un coup d'œil aux diagnostics traditionnels.

Les hernies discales

Les disques intervertébraux servent à diminuer la pression causée par le poids du corps. Ce sont des amortisseurs naturels. Leur nom a été mal choisi, car ce ne sont pas des objets isolés, et ils ne peuvent pas se «coincer». Un disque est en fait un manchon résistant, joignant deux vertèbres, et rempli d'un liquide épais qui absorbe les chocs dus aux mouvements normaux du dos. Les disques du bas du dos (disques lombaires) travaillent très fort, et les manchons commencent souvent à s'user assez tôt. Le liquide peut alors faire gonfler un point faible et même se répandre au-dehors. C'est dans ce dernier cas que l'on parle de hernie discale. C'est aussi la cause que l'on donne habituellement à la sciatique.

On diagnostique souvent une hernie discale simplement parce que des douleurs dans le bas du dos (jusqu'aux fesses) sont accompagnées de douleurs aux jambes. Souvent, une radiographie laisse voir que les vertèbres lombaires se sont tassées, ce qui révèle une dégénérescence des disques. Ce tassement devient de plus en plus courant avec l'âge. Mais ni la localisation de la douleur ni une preuve radiographique d'un tassement des vertèbres ne démontrent une hernie discale. En fait, il ne peut pas y avoir de hernie sur un disque en état de dégénérescence avancée, parce qu'il ne contient presque plus de liquide. Il est vraiment irresponsable de poser sans preuve un tel diagnostic, vu les craintes qu'il suscite. Cependant, il est encore plus important de savoir que la plupart des vraies hernies discales *ne sont pas douloureuses*. En voici les raisons.

J'ai déjà traité avec succès des patients souffrant de hernie discale. On avait établi ce diagnostic par myélographie ou scanographie*. Or mon traitement n'aurait pas pu faire disparaître une douleur due à une hernie discale. Les symptômes étaient le plus souvent présents depuis des mois, voire des années, et avaient résisté à tous les traitements. On aurait pu conclure que la hernie discale n'était pas en cause, ce qu'a confirmé la guérison grâce au traitement pour S.T.M.

J'ai aussi pris connaissance de rapports de chirurgie qui mentionnaient que la hernie ne comprimait pas le nerf adjacent. On ne devrait donc pas prétendre qu'une hernie comprime nécessairement le nerf rachidien.

J'ai même traité des patients chez qui une opération avait montré que la hernie comprimait *vraiment* le nerf rachidien, mais que l'ablation de la hernie n'a pas guéris. Ces personnes souffraient en fait d'un S.T.M., et je les ai guéries. J'en conclus que l'anomalie du disque intervertébral ne causait pas de douleur.

---

* Une myélographie est une radiographie avant laquelle on a injecté une substance opaque aux rayons-X dans le canal vertébral, le long de la moelle épinière et des nerfs qui en sortent. La scanographie est une nouvelle technique radiologique utilisant les ordinateurs. Ces deux techniques permettent de voir les hernies discales.

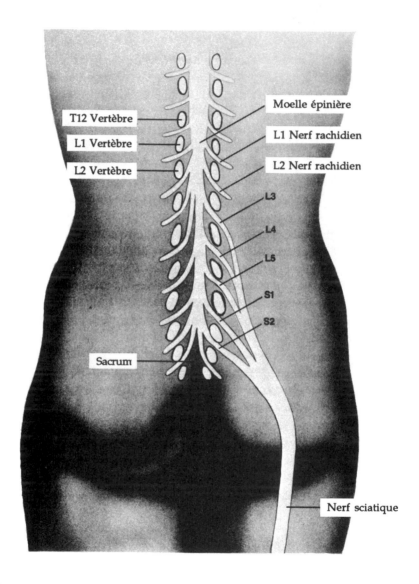

Figure 1.
On voit les nerfs rachidiens se réunissant pour former le nerf sciatique.

Un autre élément tend à prouver que les hernies discales n'ont pas à voir avec les douleurs au dos et dans les jambes. La figure 1 montre les nerfs rachidiens qui se détachent de la moelle épinière à chaque vertèbre, un de chaque côté. Les nerfs lombaires se dirigent vers les jambes. Ils amènent du cerveau les ordres qui font bouger les jambes; ils transmettent aussi au cerveau les messages sensoriels, comme la douleur et l'information sur la position de la jambe. Les nerfs rachidiens eux-mêmes ne vont pas dans la jambe, seulement leurs nerfs périphériques, comme le nerf sciatique (voir le dessin). Les figures 2 et 3 montrent

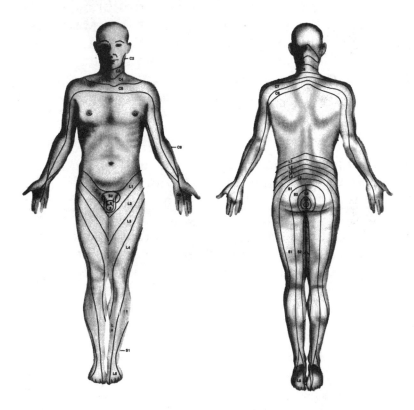

Figures 2 et 3.
Dermatomes, c'est-à-dire les zones desservies par chaque nerf rachidien qui amène les stimuli du corps jusqu'à la moelle épinière puis jusqu'au cerveau.

toutefois que chaque nerf rachidien dessert une zone sensorielle précise (appelé dermatome) de la jambe. Le nerf L1 dessert la région de l'aine, le L2, le haut de la cuisse, etc.

Supposons qu'une hernie discale comprime le nerf L5 du côté gauche. La figure 2 montre clairement que la personne ressentira une douleur à la jambe. J'ai souvent rencontré des malades ayant une telle hernie. Cependant, la douleur n'était pas du tout restreinte à la région L5, elle couvrait les régions L2, L3, L4, L5 et S1. La douleur n'était donc pas due à la hernie discale. Comme le nerf sciatique comporte des branches des nerfs L3, L4, L5, S1 et S2 (voir la figure l), c'est peut-être le nerf sciatique lui-même qui est irrité. Cela correspond à un S.T.M. Le patient se plaindra aussi de douleurs occasionnelles dans l'autre jambe, alors qu'une hernie discale n'agit le plus souvent que d'un seul côté. *Le S.T.M. agit souvent des deux côtés.*

Voici un cas typique de patient chez qui on avait diagnostiqué une hernie discale au niveau lombaire. Il s'agissait d'un homme de vingt-cinq ans, souffrant de douleurs dans le bas du dos et la jambe droite. Deux mois avant notre première rencontre, une myélographie avait révélé une hernie discale. On lui avait déconseillé toute activité physique et recommandé une inter-vention chirurgicale. Il en était tout accablé: il aimait beaucoup jouer au ballon-panier et au squash. Il se considérait émotif, excessivement consciencieux, et avait besoin de sport pour éliminer son stress.

Grâce à son courage (et peut-être à son refus d'accepter le diagnostic qu'on lui avait fait), il n'a pas subi de chirurgie et s'est mis à s'entraîner dans un gymnase et à jouer de temps à autre au ballon-panier. Son état restait stable, mais il avait toujours peur d'une rechute. Lorsqu'il est venu me consulter, l'examen ne révéla aucune trace de dommage aux nerfs. Le test de la jambe tendue provoquait de la douleur à la fesse droite, pour les deux côtés. Une pression sur les muscles du côté du cou, du haut des épaules et des fesses provoquait aussi de la douleur. Tous ces éléments montraient que la douleur était due à un S.T.M. et pas à la hernie discale. Il a bien accepté ce diagnostic, a suivi un traitement et ses symptômes disparurent en quelques semaines. Il n'a eu aucune rechute depuis – cela fait 28 mois – et il pratique de nouveau ses sports favoris.

On peut ainsi ne pas tenir compte d'une hernie discale si on a la preuve que la douleur est due à autre chose. Si l'état d'un patient traité pour un S.T.M. s'améliore et reste stable, c'est que ce diagnostic était correct.

Le nerf coincé

Bien que le S.T.M. se manifeste le plus souvent par des douleurs dans le bas du dos, dans les fesses et dans les jambes, on en rencontre aussi au cou, aux épaules et aux bras. Elles n'effraient pas autant que les premières, mais elles peuvent être très embarrassantes. Le «nerf coincé» est le diagnostic habituellement donné par ceux qui croient aux causes structurales. On suppose qu'un nerf rachidien est comprimé par une prolifération osseuse (bec-de-perroquet ou ostéophyte) sur une vertèbre cervicale (voir la figure 4).

Ce diagnostic est douteux. Il n'explique pas pourquoi de jeunes adultes souffrent de telles douleurs, alors que leurs os n'ont pas encore de bec-de-perroquet. De plus, ces ostéophytes sont très fréquents et ne causent le plus souvent aucune douleur. Puisqu'ils sont de plus en plus grands et nombreux quand on vieillit, à peu près toutes les personnes d'âge mûr devraient souffrir de maux au cou et aux bras; or ce n'est pas le cas. Enfin, des spécialistes en radiographie du système nerveux m'ont dit que, pour comprimer un nerf, un ostéophyte devait être très gros. Je n'en trouve que rarement chez mes

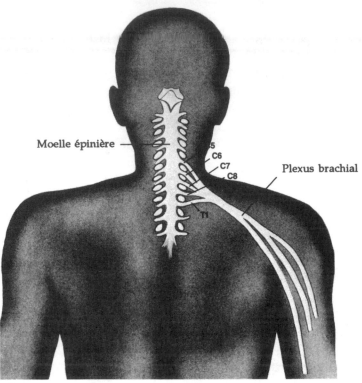

Moelle épinière

C5
C6
C7
C8

T1

Plexus brachial

Figure 4.
Nerfs rachidiens cervicaux dans le cou et les épaules, et comment ils se réunissent pour former un plexus brachial. Le S.T.M. se manifeste souvent au niveau de ce plexus; le patient souffrira alors de douleurs, d'engourdissement ou de picotements dans les bras ou les mains.

patients. D'un autre côté, des patients peuvent avoir de très grosses excroissances au cou – des tumeurs bénignes, par exemple – sans ressentir la moindre douleur[3].

Que faut-il en penser? Si on diagnostique un S.T.M., on tient compte des muscles et des nerfs du cou et des épaules (voir la figure 4). Au niveau du plexus brachial, certains nerfs rachidiens cervicaux se subdivisent en branches qui se joignent aux nerfs périphériques des bras et des mains. Dans cette partie du corps, un S.T.M. peut mettre en cause des muscles, des nerfs rachidiens ou des parties du plexus brachial. Le patient souffrira

26

alors de douleurs au cou et aux épaules, ou de douleurs, d'engourdissement ou de picotements dans les bras et les mains. L'engourdissement et les picotements sont des symptômes d'un manque d'oxygène dans les nerfs et sont courants dans les cas de S.T.M.

Autres causes structurales

On émet souvent d'autres diagnostics impliquant des causes structurales. Voici les plus fréquents.

L'arthrose dans les articulations de la colonne vertébrale fait partie du processus normal de vieillissement et commence souvent assez tôt. On dit souvent qu'elle cause des maux au cou et au dos, mais ce n'est pas le cas, selon moi. Ce n'est qu'une explication facile quand on n'a pas d'autre diagnostic.

Les vertèbres transitionnelles, le spina-bifida occulta et la spondylolyse sont des malformations congénitales du bas de la colonne vertébrale. Une radiographie les met facilement en évidence et elles sont trop souvent accusées de causer les douleurs; or, chez mes patients, ces malformations n'en étaient jamais coupables. Un article du Dr C. A. Splithoff, publié en 1953 dans le *Journal of the American Medical Association*, rejoint mon interprétation. Ce dernier a comparé la présence de neuf sortes de malformations du bas de la colonne chez des personnes saines et chez des personnes souffrant de maux de dos[4]. Il n'a trouvé entre ces deux groupes aucune différence significative, ce qui suggère qu'il n'y a pas de lien entre le mal de dos et ces neuf malformations.

Plus récemment, les Drs A. Magora et A. Schwartz ont effectué en Israël une recherche similaire. Ils n'ont trouvé entre les personnes saines et celles souffrant de mal de dos aucune différence significative quant à la fréquence de l'ostéo-arthrite de la région lombaire, des anomalies transitionnelles, du spina-bifida occulta et de la spondylolyse[5, 6, 7, 8].

La scoliose est une courbure anormale de la colonne, fréquente chez les adolescentes et persistant souvent jusqu'à l'âge adulte. On n'en connaît pas la cause. Elle ne provoque habituellement pas de douleur chez les adolescentes, mais chez les adultes, on lui attribue des maux de dos. Je n'ai jamais rencontré cette situation chez mes patientes. Voici d'ailleurs l'histoire de l'une d'elles.

Il s'agit d'une mère de famille de trente-cinq ans, qui avait souffert plusieurs fois de maux de dos depuis son adolescence. Cinq ans avant que je ne la rencontre, elle avait subi une attaque très grave. À cette époque, elle s'occupait d'un nourrisson et d'un enfant de deux ans. On trouva chez elle une légère scoliose, qui provoquait la douleur, disait-on. On lui avait aussi dit que sa situation empirerait avec l'âge.

Elle se remit de cette attaque et alla passablement bien jusqu'à ce qu'une nouvelle crise se produise, deux mois avant notre première rencontre. Cela a commencé quand elle «a senti comme un craquement» alors qu'elle était penchée. Cette sensation est fréquente et fait croire à la personne qu'un accident important est arrivé dans son dos, même si on voit par la suite qu'il n'en est rien. La douleur était violente, et son tronc restait incliné sur le côté. En plus de ses maux de dos, la patiente avait souvent eu des tendinites aux bras et aux jambes, parfois des douleurs au cou et aux épaules, des problèmes à l'estomac et au côlon. Depuis plusieurs années, elle souffrait aussi de rhume des foins et de maux de tête. Ceci est un cas typique de personne qui, parce qu'elle est tendue, est sujette à développer un S.T.M.

À l'examen, tout semblait normal, sauf qu'elle ne

pouvait pas se pencher et qu'une pression au cou, aux épaules, dans le haut du dos ou aux fesses provoquait de la douleur. La patiente suivit mon traitement contre le S.T.M. et ses malaises disparurent rapidement. Au cours d'un suivi téléphonique, 21 mois plus tard, elle affirmait qu'elle n'avait pas connu de rechute. Elle savait qu'elle pourrait souffrir de douleurs modérées au cou, aux épaules et au dos, mais qu'il s'agissait de choses peu importantes et que la douleur s'en irait rapidement d'elle-même. La scoliose n'était nullement la cause de la douleur, puisque le traitement ne l'a pas fait disparaître. Il était aussi très évident qu'elle était portée à exprimer sa tension de manière physique, comme plusieurs d'entre nous. Confondre ces deux choses peut être tragique.

Le spondylolisthésis est le glissement d'une vertèbre, surtout au niveau lombaire, dont on dit souvent qu'il cause le mal de dos. J'ai rencontré plusieurs patients ayant cette anomalie; dans tous les cas, ceux-ci souffraient aussi de S.T.M. et le traitement contre le S.T.M. a toujours fait disparaître la douleur, ce qui suggère que ce n'est pas le spondylolisthésis qui causait la douleur.

Un de mes patients était un homme d'affaires de cinquante-huit ans. Quand je l'ai rencontré, cela faisait trois ans qu'il avait de plus en plus mal au dos. Il avait consulté plusieurs très bons médecins de New York, qui lui avaient tous recommandé une intervention chirurgicale. Il était très agité quand je l'ai rencontré. La douleur ruinait sa vie: il aimait beaucoup jouer au tennis, et cet exutoire pour sa tension lui manquait énormément. Passer sa journée au bureau était devenu une torture, et ses inquiétudes transformaient sa vie tant professionnelle que personnelle.

L'examen ne révéla aucune modification neurologique: les réflexes de ses jambes, sa force musculaire, ses sens, tout était normal. La cause de la douleur, quelle qu'elle fût, ne touchait ni les nerfs de son dos ni ceux de ses fesses. D'un autre côté, toute pression sur son dos était douloureuse. Il était clair pour moi qu'en plus du spondylolisthésis, il souffrait d'un S.T.M., sans doute responsable de la douleur. Lorsque je lui en ai parlé, il était tout à fait prêt à me croire, puisqu'il voulait éviter la chirurgie, mais il n'arrivait pas à comprendre comment tous ces médecins pouvaient s'être trompés. Je lui ai dit qu'ils ne s'étaient pas trompés, qu'il avait sûrement un spondylolisthésis, mais que ce n'était qu'une partie du problème. Je lui ai suggéré de tenter d'éliminer le S.T.M. et de voir ce qui se passerait. Je lui ai prescrit le traitement habituel, que je décrirai dans un chapitre ultérieur, et la douleur a diminué presque tout de suite. Quatre semaines plus tard, il est allé en vacances dans les Antilles avec son épouse; à son retour, il m'a appris qu'il n'avait souffert d'aucune douleur pendant ses vacances. De retour à New York, la douleur revint avec la vie quotidienne, mais plus faible qu'auparavant. Il avait heureusement acquis la conviction qu'un état de détente totale faisait disparaître la douleur. Huit semaines plus tard, la douleur avait disparu, et trois mois après qu'il m'eut consulté, il a pu jouer au tennis pour la première fois depuis deux ans. Bien qu'il soit très tendu et qu'il souffre parfois de tiraillements dans le bas du dos, il ne s'en inquiète plus.

Il y a une suite à cette histoire. Après avoir posé le diagnostic, j'ai dit au patient qu'il était très anxieux. Je lui ai proposé de suivre une psychothérapie. Il a été très réceptif à cette idée puisque, par la suite, il a entrepris une telle démarche, pour son plus grand bien. Alors que je préparais ce livre, j'ai reçu une lettre, dont voici quelques extraits:

«Cela fait déjà un an que je suis allé vous voir pour la première fois, et je m'en voudrais si je ne vous écrivais pas pour vous faire part du progrès de la condition de mon dos. Je suis très heureux de pouvoir vous annoncer que je suis en excellente santé et que mon dos se porte très bien. Quand des amis me demandent comment je vais, je réponds à chaque fois que mes problèmes de dos sont choses du passé et que je vais très, très bien.

«Je peux difficilement vous dire à quel point je suis content d'avoir repris toutes mes activités. J'ai commencé à faire du tennis de compétition, en simple et en double, et je m'amuse beaucoup. J'ai parfois des courbatures le lendemain d'une partie, mais c'est presque toujours disparu le matin suivant. Je remarque d'ailleurs que j'en ai de moins en moins.

«À bien y penser, l'amélioration de mon état durant la dernière année est remarquable, surtout quand on considère que je n'ai fait que vous visiter, écouter votre diagnostic, et tenir compte de vos idées dans ma vie de tous les jours.»

Bien que le spondylolisthésis ait été très important, c'était le S.T.M. qui causait la douleur. Il serait incorrect d'affirmer que le spondylolisthésis ne provoque jamais de mal de dos. Cependant, dans tous les cas que j'ai traités, la douleur était due au S.T.M., pas au spondylolisthésis.

J'ai décrit ici les anomalies structurales les plus courantes de la colonne. Il y en a beaucoup d'autres. Chaque fois qu'une radiographie montre que la colonne n'est pas tout à fait «normale», on dit que c'est la cause du mal de dos. On est sûr que c'est la source de la douleur, alors que rien ne le prouve.

Autres diagnostics «physiques»

Il existe deux autres types courants de diagnostics, qui ne sont pas vraiment structuraux. On doit aussi les réfuter.

Le premier type est l'inflammation. On prescrit très souvent des anti-inflammatoires contre un mal de dos, alors que rien dans la littérature médicale n'en montre l'utilité.

Qu'est-ce qui peut donc être enflammé, selon les médecins qui font un tel diagnostic? Les articulations de la colonne? Les nerfs rachidiens, comprimés par une hernie discale, un ostéophyte ou un rétrécissement du canal vertébral? Les médecins prescrivent des médicaments anti-inflammatoires à tout hasard, sans trop savoir ce qu'ils visent.

À peu près toute blessure ou maladie provoque une inflammation: c'est un processus de protection et de guérison. Par exemple, si des microbes s'introduisent dans le corps, celui-ci réagira par une inflammation pour tenter de les détruire. Un abcès est la dernière étape du processus inflammatoire: les microbes ont été cernés, ingérés par les globules blancs, tués par des substances chimiques et isolés du reste du corps sous forme de pus. Les symptômes du rhume sont principalement dus à un processus inflammatoire. Une fracture, la déchirure d'un muscle, d'un ligament ou d'un tendon vont tous provoquer une inflammation locale. Tout ceci dans le but de combattre la blessure ou l'infection.

D'un autre côté, certaines inflammations ne tendent pas à ramener le corps à son état d'origine: le corps se détruit lui-même. C'est le cas du rhumatisme articulaire, où l'inflammation détruit peu à peu l'articulation. Il y a plusieurs autres types d'inflammation de ce genre, mais le sujet est trop complexe pour être traité ici. On ne peut cependant pas trouver d'inflammation chez les patients souffrant de maux ordinaires au cou, aux épaules ou au dos. On ne peut en trouver de traces ni par radiographie ni par test sanguin. Il n'y a aucune raison de penser qu'une pression sur un nerf rachidien va causer une inflammation, si tant est qu'il y ait une pression. Dans le cas d'un mal de dos, on ne fait que présumer qu'il y a une inflammation. J'ai déjà suggéré que le S.T.M. cause la plupart des maux de dos et je l'ai un peu décrit. Dans les chapitres suivants, je vais tenter d'expliquer qu'il s'agit d'un problème de circulation, pas d'une inflammation.

Un autre diagnostic «physique» courant est celui de l'entorse ou de la foulure. Quand la douleur est limitée au dos, qu'elle n'irradie ni aux jambes ni aux bras, on pense souvent qu'il s'agit d'une entorse ou d'une foulure. Il est souvent difficile de trouver sa cause, mais ce n'est pas ça qui va décourager le médecin. On peut toujours trouver quelque chose: avoir pelleté de la neige, déplacé des meubles, joué au football...

Le principal problème de ce diagnostic est qu'il n'explique pas bien les réactions des patients. Ces derniers parlent de spasmes qui vont et viennent un peu partout dans le dos, ce qu'une entorse ou une foulure ne fait pas. Il peut même arriver que la douleur disparaisse pendant quelques heures et qu'elle revienne à un endroit différent.

Ce que ce diagnostic explique le moins bien, c'est que l'état de plusieurs patients reste stable ou empire, alors qu'on s'attendrait au contraire. Le corps a un très grand pouvoir de se guérir lui-même: une fracture se répare en quelques semaines; une entorse, en quelques jours, au pire en deux ou trois semaines.

On doit donc admettre ici aussi que ce diagnostic est

erroné, et que c'est parce qu'il ne connaît pas l'existence du S.T.M. qu'un médecin le pose.

L'importance d'un diagnostic précoce

Tous les praticiens de la santé savent que plus un diagnostic est précoce, meilleures sont les chances d'une guérison rapide et complète. Un des pires aspects du mal de dos est sa tendance à devenir chronique, d'abord à cause d'un diagnostic erroné, ensuite à cause de la peur que ce dernier inspire. Je suis convaincu que le diagnostic précoce d'un S.T.M. réglerait les problèmes de la plupart des patients en quelques jours. Je consacre actuellement la plus grande partie de mon travail à éliminer les idées fausses, les peurs, et à établir une relation de confiance, alors que rien de ceci ne serait nécessaire si le diagnostic était précoce et correct. L'histoire qui suit met bien en évidence les conséquences d'un diagnostic incorrect.

Jean est un homme de trente-cinq ans. Il avait déjà souffert de douleurs dans le bas du dos dix ans auparavant. Il disait avoir mené par la suite une vie parfaitement normale, et faisait du sport – du tennis, par exemple. Six semaines avant que je ne le rencontre, il a eu une douleur subite et violente dans tout le bas du dos au cours d'une partie de tennis. Quelques jours plus tard, la douleur avait atteint la fesse, la jambe et le pied droits, surtout en station debout. Son tronc était incliné. Il a alors visité trois spécialistes, qui ont affirmé qu'il s'agissait sans doute d'une hernie discale: il devrait aller à l'hôpital passer une myélographie, et peut-être aussi subir une intervention chirurgicale. Il devait rester au lit et prendre des médicaments anti-inflammatoires et des tranquillisants.

Au bout de trois semaines, il était devenu une «épave». Ses médicaments l'assommaient et lui donnaient la nausée, il était faible et apeuré. Il alla enfin voir un

34

médecin qui lui prescrivit une physiothérapie. Son état s'améliora un peu, mais la douleur persistait dans sa fesse et sa jambe, et son tronc restait penché. C'est à ce moment que je l'ai rencontré. J'ai alors appris qu'il lui arrivait de mal digérer, qu'il souffrait au printemps d'un léger rhume des foins, qu'il avait eu des attaques occasionnelles d'urticaire et d'eczéma et souffrait souvent de torticolis. À part cela, il était en parfaite santé. Il m'a peut-être été plus utile d'apprendre que son travail le stressait beaucoup depuis environ un an.

L'examen révéla une grande sensibilité des muscles à la pression, des deux côtés du cou, sur le haut des deux épaules et sur les deux fesses, mais davantage sur la droite. Tout laissait croire à un S.T.M. Dans les semaines suivantes, il suivit mon traitement et la douleur disparut. Toute l'histoire aurait été différente si on avait diagnostiqué le S.T.M. dès le début. La peur d'une hernie discale a mis en branle le cercle vicieux bien connu. Dans ces circonstances, aucun traitement traditionnel n'aurait eu d'utilité. Le repos et les médicaments n'ont fait qu'aggraver le problème en créant de nouveaux symptômes.

Je vous propose maintenant un tout autre scénario. Dès l'apparition de la douleur, le même patient visite son médecin de famille. Après l'entrevue et l'examen, celui-ci lui dit: «Vous n'avez rien de grave. Votre douleur est due à la tension, qui se manifeste dans les muscles du bas du dos et le nerf sciatique droit. Pour vous dire cela, je me base aussi sur deux autres indices. Vous êtes une personne très consciencieuse, ce qui crée de la tension qui s'exprime par des maux d'estomac, par le rhume des foins, par de l'urticaire, par de l'eczéma, par des torticolis et par un syndrome de tension musculaire. Ensuite, la dure année que vous avez passée au travail a sans aucun doute produit la tension qui a causé cette attaque.» Ce médecin de famille hypothétique prescrit ensuite un programme d'exercices progressifs et peut-être un peu de physiothérapie. Il dit à son patient d'augmenter son activité physique au fur et à mesure que la douleur diminue, et de revenir finalement à toutes ses activités, y compris le sport. Le médecin souligne que la colonne ne présente aucune anomalie structurale, aucune blessure et qu'il n'y a finalement rien à craindre.

Voilà ce qui se passerait si le S.T.M. était plus généralement connu. Je crois que le diagnostic devrait être posé par le médecin généraliste, que ce soit le médecin de famille ou l'interniste. Certains patients ne visiteraient sans doute même pas le médecin s'ils savaient ce qu'est le S.T.M. et qu'il ne s'agit pas d'un problème grave. Qu'ils aillent ou non voir un médecin, le fait de savoir que la douleur n'a besoin que de temps pour se résorber mettrait en branle la guérison plutôt qu'un cercle vicieux. Au lieu d'une peur qui aggrave la douleur, le patient aurait confiance et son état s'améliorerait rapidement. Il faut en conclure que les médecins, par leurs diagnostics classiques, augmentent sans le vouloir la gravité et la durée des maux de dos à cause de la crainte que ces diagnostics inspirent.

Certains croiront que le traitement prescrit par mon médecin hypothétique de tout à l'heure est trop simple. Celui que *je* prescris est plus complexe: je dois m'occuper des idées fausses de mes patients, leur expliquer longuement ce dont *ils ne souffrent pas* et calmer leurs peurs. Je les aide à se «déprogrammer», c'est-à-dire à briser le cercle vicieux dans lequel plus de peur engendre plus de douleur. Le traitement du S.T.M. serait beaucoup plus simple si on n'avait pas à défaire tout cela.

Il peut être intéressant de se demander comment on a pu se passer si longtemps de chirurgie vertébrale. Même si les médecins de famille ne connaissaient pas le S.T.M. il y a 75 ans, je crois qu'ils n'accordaient pas une

36

grande importance aux maux de dos et aux «sciatiques». On appliquait des emplâtres à la moutarde dont la chaleur détendait sûrement les muscles. Les remèdes traditionnels sont parfois plus efficaces que ceux de la médecine moderne. Quoi qu'il en soit, je crois que la méthode ancienne, moins intimidante, contribuait à empêcher les situations chroniques que l'on connaît aujourd'hui.

Autrefois, bien que les moyens techniques fissent défaut, on avait une meilleure attitude envers la maladie. On était obligé de s'en remettre à sa faculté de se guérir soi-même, aux remèdes naturels, etc. On ne croyait pas que la médecine pouvait tout guérir. Il n'est pas nécessaire de mettre de côté les progrès fantastiques de la médecine moderne pour exploiter les ressources que chacun a en lui-même. Il n'est pas anti-scientifique de reconnaître l'existence de ces ressources tout en continuant la recherche de nouveaux traitements. Les médecins auraient simplement besoin d'un peu plus d'humilité.

Références

1. SARNO, J.E. «Etiology of Neck and Back Pain: An Autonomic Myoneuralgia?», *The Journal of Nervous and Mental Disease*, vol. 169 (1981), p. 55.

2. SARNO, J.E. «Therapeutic Exercise for Back Pain» *Therapeutic Exercise*, 4e éd., édité par J.V. Basmajian, Baltimore, Williams and Wilkins, 1984.

3. FOX, A.J., J.P. LIN, R.S. PINTO et I.I. KRICHEFF. «Myelographic Cervical Nerve Root Deformities», *Radiology*, vol. 116 (1975), p. 335.

4. SPLITHOFF, C.A. «Lumbosacral Junction Roentgenographic Comparison of Patients with and Without Backagches,» *Journal of the American Medical Association*, vol. 152 (1953), p. 1610.

5. MAGORA, A. et A. SCHWARTZ. «Relation Between the Low Back Pain Syndrome and X-Ray Findings. 1. Degenerative Osteoarthritis», *Scandinavian Journal of Rehabilitation Medicine*, vol. 8 (1976), p. 115.

6. MAGORA, A. and A. SCHWARTZ. «Relation Between the Low Back Pain Syndrome and X-Ray Findings. 2. Transitional Vertebra (Mainly Sacralization)», *Scandinavian Journal of Rehabilitation Medicine*, vol. 10 (1978), p. 135.

7. MAGORA, A. and A. SCHWARTZ. «Relation Between the Low Back Pain Syndrome and X-Ray Findings. 3. Spina Bifida Occulta», *Scandinavian Journal of Rehabilitation Medicine*, vol. 12 (1980), p. 9.

8. MAGORA, A. and A. SCHWARTZ. «Relation Between the Low Back Pain Syndrome and X-Ray Findings. 4. Lysis and Olisthesis», *Scandinavian Journal of Rehabilitation Medicine*, vol. 12 (1980), p. 47.

Chapitre 2

Traitements traditionnels et mythologie médicale

Les traitement traditionnels pour les maux au cou et au dos ne sont justifiés que par les diagnostics traditionnels selon lesquels la douleur provient d'une anomalie structurale de la colonne, d'une inflammation, d'une entorse ou d'une foulure. Si on rejette ces diagnostics, on devra faire de même avec la plupart de ces traitements. Puisque la plupart des maux au cou, aux épaules ou au dos sont dus au S.T.M., plusieurs des traitements décrits ci-après sont inutiles.

Garder le lit est sans doute le traitement le plus souvent prescrit, principalement quand il s'agit de douleurs aiguës dans le bas du dos et aux fesses. On suggère aux patients le repos complet, aussi longtemps qu'ils peuvent le supporter, souvent pendant des semaines. Ceci fait parfois disparaître la douleur; dans la majorité des cas, l'état reste stable ou empire. On peut aisément imaginer comment l'état d'une personne souffrant d'un S.T.M. et forcée de négliger ses affaires peut empirer. La mère d'un jeune enfant ou un travailleur autonome deviendront facilement nerveux avec le temps, et cette tension engendrera plus de douleur. Si le repos calme le malade, tout ira pour le mieux; dans le cas contraire, la situation s'aggravera.

À l'hôpital, pour mieux faire respecter l'ordre de mise

au repos, on soumet souvent le patient à la traction. Grâce à un harnais installé aux hanches et relié par une poulie à une masse de sept kilogrammes, on exerce une faible force sur la partie inférieure de la colonne vertébrale. En fait, il s'agit le plus souvent de forcer le patient à garder le lit.

De même, lorsque le patient souffre de maux au cou ou aux épaules, on prescrira une traction cervicale, surtout si on a diagnostiqué un «nerf coincé». Il s'agit ici d'écarter les vertèbres cervicales (du cou), ne serait-ce que d'un ou de deux millimètres. On utilise dans ce but des poids plus importants. On passe un harnais au cou du patient, qui est couché sur une table spéciale, conçue pour exercer la force exactement nécessaire, souvent de manière intermittente. S'il s'agit d'un S.T.M., la traction cervicale s'avère inutile.

On utilise les corsets orthopédiques dans le but d'immobiliser et de «soutenir» la colonne. Le concept de soutien est très flou et on peut se demander comment de tels appareils peuvent soutenir. Ils n'immobilisent pas non plus, d'ailleurs. De toute manière, s'il s'agit d'un S.T.M., ces appareils n'ont aucune utilité: l'humain a besoin de mouvement, pas d'immobilité. Les personnes qui viennent me visiter ont souvent reçu de tels traitements sans le moindre avantage: ils les considèrent donc inutiles. Cependant, certaines personnes semblent avoir été traitées avec succès grâce à un corset. Si elles souffraient vraiment d'un S.T.M., il s'agit sans doute d'un effet psychologique plutôt que physique. Tout traitement peut d'ailleurs avoir de tels effets: c'est ce qu'on appelle l'effet *placebo*.

Au début, on appelait «placebo» toute substance inactive donnée au patient pour lui faire plaisir, sous forme de médicament. *Placebo* est un mot latin qui signifie: *je plairai*. Plus tard, lorsqu'on s'aperçut que ces

40

substances pouvaient améliorer l'état des patients ou même les guérir, on se mit à parler fort sérieusement de l'*effet placebo*. Mais personne ne pouvait dire comment cela fonctionnait. Par la suite, on se mit à tester les nouveaux médicaments en comparant leur effet à celui de placebos. Pour ce faire, on divise en deux un grand groupe de patients; on donne à certains le nouveau médicament et à d'autres un placebo de même aspect mais composé d'une substance inactive. Si le nouveau médicament est efficace, c'est-à-dire s'il fait ce que l'on croyait qu'il ferait, les patients le recevant devraient réagir mieux que ceux ne recevant que le placebo. Si les sujets des deux groupes réagissent de la même façon, c'est que le nouveau médicament n'a aucune utilité.

Un placebo peut avoir n'importe quel effet. Les conséquences de ce phénomène sont très grandes et la médecine n'a pas encore entièrement exploré ce domaine. Tout traitement, qu'il s'agisse de manipulations, d'exercices ou d'acupuncture, peut avoir un effet physique ou un effet placebo. Dans ce dernier cas, le patient croit dans son subconscient en l'efficacité du traitement. La douleur est un symptôme, pas une maladie; elle avertit que quelque chose ne va pas: qu'il y a une fracture, un ulcère à l'estomac, une infection, un S.T.M. Ce sont tous des processus physiologiques provoquant la douleur. Un placebo réduira la douleur par l'une ou l'autre des manières suivantes, ou bien les deux:

1. Un placebo peut réduire temporairement la tension chez le patient, parce que celui-ci croit qu'il va être guéri. C'est le cas pour les ulcères et le S.T.M.;

2. Un placebo peut éliminer temporairement toute douleur en favorisant la sécrétion par le cerveau de substances appelées *endorphines*. C'est le cas lors d'une fracture ou du S.T.M. Les endorphines sont les analgésiques naturels du cerveau et sont

41

plus efficaces que n'importe quel analgésique artificiel.

Dans les deux cas, c'est la foi qui importe, ce qui laisse entrevoir l'importance des facteurs psychologiques dans l'effet placebo.

Certains de mes patients m'ont affirmé s'être sentis complètement soulagés dans les mois qui suivirent une intervention chirurgicale. Je crois que la chirurgie a eu ici un effet placebo très fort, ce serait peut-être le placebo le plus puissant. L'efficacité d'un placebo augmente avec l'impression que celui-ci fait sur le subconscient du patient. Se soumettre à la chirurgie est une décision très grave et le patient est, dans son subconscient, convaincu de son efficacité.

Puisque mon expérience des cas de rémission par placebo me montre que la douleur revient toujours, j'en ai tiré une autre conclusion: l'effet placebo est toujours *temporaire*. De plus, étant donné que les traitements ne touchent pas aux causes profondes de la douleur, celle-ci revient exactement comme auparavant. Lorsqu'il s'agit d'un traitement moins important qu'une chirurgie, comme les manipulations ou l'acupuncture, l'effet dure moins longtemps, habituellement quelques jours. Le traitement devra donc être répété encore et encore. Si le patient n'a plus la confiance qu'il avait dans le traitement, celui-ci perdra toute efficacité. On ne sait pas pourquoi l'effet placebo est temporaire; on a simplement constaté ce fait.

L'effet placebo explique très bien ce qui arrivait à mes patients souffrant de S.T.M. avant que je leur communique le bon diagnostic. Il explique aussi pourquoi certains malades guérissaient et d'autres pas, avant que je ne découvre l'existence du S.T.M.: l'état de ceux qui avaient confiance en moi ou dans mon traitement s'améliorait; pas celui des autres.

Je crois que l'effet placebo continue d'avoir de l'importance pour certains des cas dont je m'occupe actuellement. Pour diverses raisons, certains patients accueillent difficilement mon diagnostic; ils sont souvent prêts à admettre que leur mal n'a pas de cause structurale, mais de là à penser que seule la tension est responsable... Ils mettent donc principalement leur confiance dans les séances de physiothérapie. Cela leur procure un effet placebo qui dure quelquefois assez longtemps, mais une rechute est inévitable. Et la consultation qui suit la rechute m'apprend souvent qu'une nouvelle source de tension est apparue dans la vie du patient. Mais comme ce dernier n'accepte toujours pas mon diagnostic, seul joue l'effet placebo, qui déterminera s'il y aura ou non une autre rechute.

Ces dernières années, des études sérieuses ont montré que les placebos avaient quelquefois des effets physiques très marqués. Ils peuvent améliorer l'état de personnes souffrant de multiples affections physiques et mentales, parmi lesquelles la dépendance envers des drogues, l'arthrite, l'hypertension, les ulcères à l'estomac et le rhume des foins.

On a aussi discuté dans les milieux médicaux du problème éthique que pose l'utilisation des placebos: n'est-ce pas berner le patient? Selon moi, cette question montre qu'on ne sait pas vraiment ce qu'est un placebo, qui ne peut «guérir» que de manière temporaire et limitée. Sans compter qu'il finit par perdre tout effet. Un médecin peut-il alors vraiment penser traiter un patient avec un placebo? En fait, le problème important est de connaître son mode d'action et les cas où son utilisation est indiquée. Comme l'effet placebo joue sur la croyance inconsciente en l'efficacité d'un traitement, il sera donc particulièrement utile pour les problèmes d'origine psychologique, dont le S.T.M., les ulcères à l'estomac et la colite.

Il nous faut maintenant continuer à décrire les méthodes traditionnelles de traitement. Passons donc à la limitation des activités physiques, à la prescription d'en faire le moins possible. Ce traitement se situe dans le même courant que le repos forcé au lit. Lorsque la douleur est aiguë, cette restriction est tout à fait inutile, mais elle revient presque toujours si l'état du patient s'améliore ou si la douleur devient chronique.

Dans presque tous les cas, on prescrit aussi divers médicaments, surtout des relaxants musculaires, des tranquillisants, des anti-inflammatoires et des analgésiques. Les deux premiers servent à prévenir les fréquents spasmes musculaires. Sans doute parce que mes patients sont ceux que les méthodes traditionnelles n'ont pas su traiter, ces médicaments connaissent rarement le succès auprès d'eux. D'ailleurs, comme les tranquillisants, les relaxants musculaires n'exercent pas directement leur effet sur les muscles, mais agissent comme dépresseurs du système nerveux.

Les anti-inflammatoires qui doivent être administrés par voie orale comprennent des produits très divers, allant de l'aspirine aux corticostéroïdes. Comme nous avons déjà vu qu'il n'y a aucune preuve d'inflammation dans les cas de maux de dos, les seuls effets positifs doivent être dus à l'effet placebo. Ces produits n'ont pas leur place dans le cadre du traitement du S.T.M. Si la douleur est importante, l'utilisation d'analgésiques est justifiée. On peut même aller jusqu'à administrer des narcotiques. Mais il s'agit toujours d'une solution temporaire.

De nombreux médicaments sont aussi administrés par injection. On peut injecter un stéroïde dans les muscles douloureux ou près de la colonne. Plus généralement, on injectera un anesthésique local, comme la procaïne, en plein centre de la région douloureuse. Le soulagement peut être très important. Mais je n'emploie que

44

rarement ces méthodes, parce que je crois que la plupart des douleurs sont dues au S.T.M. et que les injections ne règlent pas le problème fondamental. Je ne fais ces injections que dans le cas d'une douleur très aiguë.

Il existe aussi des anesthésiques locaux qui ont pour but d'empêcher les nerfs de transmettre le message de la douleur vers le cerveau. Cette méthode élimine la douleur, mais ne règle pas encore le problème fondamental. On l'utilise souvent quand on croit que la cause de la douleur est structurale – l'arthrite, par exemple – et que cette cause ne peut pas disparaître. On se limite donc à chasser la douleur. Quand il fonctionne, ce genre de traitement est toujours à recommencer. Si on soigne un S.T.M. cependant, on cherche à éliminer la cause du mal; on n'utilisera donc pas ce type d'injections.

On utilise aussi l'acupuncture. Les profanes ne savent peut-être pas que cette technique repose aussi sur le principe de l'interruption de la transmission du message de la douleur vers le cerveau. On ne ressent la douleur que lorsque le cerveau en est informé. Un anesthésique local, comme ceux qu'utilisent les dentistes, empêche le fonctionnement normal des nerfs – ceux des gencives, dans ce cas. La douleur cesse alors d'être transmise au cerveau. On ne sait pas trop comment l'acupuncture y arrive, mais elle a cet effet. Il semble que son action se situe au niveau de la moelle épinière et du cerveau lui-même. On doit donc, pour la raison déjà mentionnée, refuser d'utiliser l'acupuncture pour traiter des maux au cou, aux épaules et au dos. Tout cela explique pourquoi certains de mes patients m'ont affirmé que l'acupuncture entraînait parfois un soulagement temporaire, alors que d'autres n'en obtenaient aucun effet.

La neurostimulation transcutanée (TNS) est aussi

utilisée pour interrompre la transmission de la douleur. On place sur la peau du patient des électrodes, près des régions douloureuses, et on y fait passer des faibles chocs électriques grâce à un appareil que le patient porte sur lui. Les chocs sont censés stimuler les nerfs et bloquer ainsi le message de la douleur. Mais une étude menée à la clinique Mayo et relatée par le Dr G. Thorsteinsson et trois collaborateurs montre qu'un faux neurostimulateur soulageait autant qu'un vrai, ce qui semble montrer qu'il s'agit d'un effet placebo[1]. On utilise la neurostimulation surtout pour les personnes handicapées par des douleurs importantes et chroniques.

La rétroaction biologique (biofeedback) est un nouveau traitement contre la douleur qui vise à procurer une détente musculaire complète. On place des électrodes sur certains muscles, habituellement au front, de manière à ce que le patient puisse «voir» et «entendre» son activité musculaire, par l'intermédiaire d'appareils. Le patient pourra ainsi apprendre à réduire l'activité de ses muscles frontaux et atteindre un état de grande détente. Il s'agit là d'une bonne idée, mais elle ne touche que les symptômes et pas les causes du S.T.M.

Un autre traitement très répandu est l'exercice physique, dont on peut trouver des défenseurs acharnés tant parmi les médecins que parmi d'autres professionnels, même si sa justification n'est pas évidente. On dit le plus souvent que l'exercice renforce les muscles abdominaux, dorsaux et lombaires, ce qui devrait enrayer la douleur. Comme nous l'avons déjà dit, on considère le plus souvent que la douleur est due à une anomalie structurale. Comment l'exercice et le renforcement des muscles pourraient-ils guérir une hernie discale ou un bec-de-perroquet? Et si l'on pense aux entorses et aux foulures, comme certains, ne vaudrait-il pas mieux se reposer pendant quelques jours? Et si le mal de dos était dû à la faiblesse musculaire? C'est assez difficile à admettre. Des millions d'hommes et de femmes, de tous les âges, mènent une vie sédentaire sans le moindre mal de dos, alors que j'ai eu à soigner des jeunes femmes et des jeunes gens forts et en santé.

Cependant, comme j'en parlerai au chapitre 5 qui porte sur le traitement du S.T.M., l'exercice est utile parce qu'il favorise la circulation du sang dans les muscles et les nerfs touchés. Selon moi, l'exercice met aussi en marche un effet placebo très important, ce qui lui permet de soulager ou de prévenir des maux de dos. Il suffit de voir la ferveur et l'assiduité de certaines personnes pour être convaincu de la foi qu'ils mettent dans ce traitement.

Certaines personnes, principalement des non-médecins, ont aussi recours aux manipulations parce qu'elles croient que la douleur est due à un défaut d'alignement de la colonne. Certains professionnels mettent d'ailleurs sur le compte de ces défauts d'alignement de nombreux autres problèmes de santé: il faudrait donc redresser la colonne. Il n'existe cependant aucune preuve que ces défauts sont anormaux et causent de la douleur. On peut certes les voir sur une radiographie, mais l'étude du Dr Splithoff, relatée au premier chapitre, montre que neuf anomalies structurales courantes n'ont pas de lien significatif avec les maux de dos. Même la hernie discale, explication classique des maux de dos, ne provoque le plus souvent aucune douleur. Il serait alors étonnant que de petits défauts d'alignement puissent en causer.

À quoi peut-on alors attribuer les succès partiels de cette méthode? Encore à l'effet placebo, semble-t-il. Mais comme cet effet est provisoire, on doit toujours reprendre les traitements, quelquefois durant plusieurs années. Certaines personnes finissent par ne plus profiter des traitements. La plupart des patients avec qui je me suis entretenu n'avaient pas été guéris complètement et leurs activités demeuraient limitées.

Enfin, le traitement le plus spectaculaire: l'intervention chirurgicale. La chirurgie est indiquée dans de nombreux cas: ablation d'une tumeur, correction de défauts – fracture ou dislocation – dus à une blessure. La chirurgie est aussi adéquate si une hernie discale importante cause des problèmes neurologiques: paralysie partielle ou totale des jambes, problèmes de fonctionnement des intestins ou de la vessie, etc. Dans tous ces cas, la chirurgie est nécessaire. Là où le bât blesse, c'est quand il s'agit de personnes chez qui une myélographie ou une scanographie révèle un problème discal, mais qui souffrent en fait d'un S.T.M. J'ai d'abord soigné de ces patients quand ils refusaient de se soumettre à l'intervention chirurgicale. J'ai été étonné de constater que mon traitement éliminait complètement la douleur, ce qui laisse croire que la hernie discale ne jouait aucun rôle. J'ai soigné au cours des années de nombreuses personnes, et très rares ont été celles chez qui la hernie discale causait la douleur. Une très grande majorité a pu connaître une guérison complète.

On pratiquait autrefois beaucoup de fusions vertébrales, pour stabiliser la colonne, mais cette pratique baisse en popularité.

On utilise, depuis plusieurs années au Canada et depuis moins longtemps aux États-Unis, une enzyme, la papaïne, pour dissoudre la substance dont se composent les disques. Quand on croit qu'un mal de dos est causé par la compression d'un nerf par un disque, cette méthode permet d'éviter la chirurgie. Mais puisque la plupart des maux de dos sont dus au S.T.M., cette méthode ne fonctionne, elle aussi, que grâce à un effet placebo, tout comme l'intervention chirurgicale.

Étant donné que tous ces traitements n'apportent qu'un soulagement temporaire, on doit conclure que celui-ci est dû à un effet placebo. Si l'on effectue pendant assez longtemps le suivi d'un patient ayant subi une intervention chirurgicale, on voit que, dans la plupart des cas, la douleur revient, souvent très semblable. On voit aussi apparaître d'autres symptômes reliés à la tension: céphalées de tension, troubles de la digestion ou ulcères de l'estomac, colite, etc. Voilà un exemple parfait de ce qui arrive quand certains symptômes physiques causés par la tension ont été guéris par effet placebo: d'autres se substituent aux premiers.

En bref, disons que c'est parce qu'elles reposent sur un diagnostic erroné que les méthodes traditionnelles de traitement échouent. Quand elles ont un succès temporaire, c'est qu'il s'agit d'un effet placebo.

LA MYTHOLOGIE DE LA MÉDECINE

Au cours des ans, on a élaboré de nombreuses théories sur les causes et le traitement des maux de dos. La plupart d'entre elles s'appuyaient sur des concepts médicaux, mais, parce qu'elles sont fondées sur des prémisses qui n'ont pas été prouvées, on doit les considérer comme des mythes.

Le mythe du disque fragile

Un des mythes fondamentaux, dont découlent plusieurs autres, affirme que le dos est une chose fragile, qu'on doit protéger contre un effort trop grand et autres dangers. On apprend au public à soulever correctement les objets lourds, le dos droit et les genoux pliés, afin de diminuer la pression que subissent les disques intervertébraux lombaires. Le Dr Alf Nachemson, chirurgien orthopédiste à Göteborg, en Suède, a prouvé qu'une flexion du tronc vers l'avant engendre une pression très élevée sur ces disques, pression qui grandit encore quand on lève quelque chose[2]. Mais rien ne montre que cette situation est mauvaise ou qu'elle accélère la dégénérescence des disques. Le Dr Nachemson a mis en évidence que les disques commencent à s'user au début de la vingtaine. Je n'arrive pas à voir en quoi ce processus se distingue du processus général du vieillissement.

Le mythe du disque fragile tend à se répandre partout. Les professionnels de la santé et les médias bombardent le public d'informations sur la dégénérescence des disques, sur les hernies discales, etc. Ça semble tellement évident: si ces choses arrivent, elles doivent provoquer de la douleur. Il y a quelques siècles, il semblait tout aussi évident, même pour les esprits les plus éclairés, que la Terre fût le centre de l'univers... Toute la question des disques semble logique: il y a dans le bas du dos des objets qui s'usent, exactement là où se produisent les spasmes et la douleur. On y remarque aussi les nerfs lombaires et sacrés, parfaitement bien placés pour se faire écraser par une hernie discale. Et la douleur perçue dans les jambes montre bien que ces nerfs sont comprimés.

Tout ceci semble bien beau, mais c'est le plus souvent faux. Il ne s'agit que d'un mythe créé et maintenu par les médecins et les médias. Évidemment, nul ne peut nier que les disques s'usent et font des hernies; la question est de savoir si ces situations engendrent de la douleur, ce qui est loin d'être prouvé.

Un des dangers du mythe du disque fragile est qu'il conduit souvent à la table d'opération. Avec les nouvelles techniques, comme la scanographie, on trouve de plus en plus de hernies discales, que l'on opère de plus en plus souvent.

Le mythe du singe

L'idée de la fragilité du dos a reçu un appui de taille, il y a quelques années, quand un médecin a émis l'idée que tout le problème des maux de dos provient du fait que l'être humain n'est pas fait pour marcher debout. On nage ici en plein délire. Pour tenter de justifier l'idée enracinée que les maux de dos sont dus à des anomalies structurales, on interprète l'évolution tout de travers. Darwin doit se retourner dans sa tombe.

Selon moi, l'évolution repose sur deux principes fondamentaux: 1) l'instinct de conservation de l'espèce est puissant; 2) pour assurer leur conservation, les espèces doivent s'adapter de diverses manières, et cette adaptation peut aller jusqu'à des changements fondamentaux de structure. L'adaptation et le changement servent la survie de l'espèce. Les espèces qui s'adaptent correctement survivent; les autres disparaissent, tels les dinosaures.

L'*Homo sapiens* a évolué jusqu'à devenir l'animal dominant la planète. Il est indéniable que notre cerveau joue un rôle clé dans cette situation, mais il a eu besoin de millions d'années pour se former; pendant ce temps, nos ancêtres devaient quand même survivre. Cela aurait été impossible si la colonne vertébrale avait été inadaptée à la station debout.

En 1974, le Dr Donald Johanson a déterré en Afrique les restes d'un de nos lointains ancêtres hominidés. On l'a appelé *Australopithecus afarensis*. On a retrouvé beaucoup plus d'os que d'habitude: on a donc pu reproduire le squelette avec beaucoup de détails. Des étudiants d'anthropologie ont été très surpris de contaster que cet hominidé marchait debout. *A. afarensis* a vécu il y trois millions cinq cent mille ans. Cette découverte rend ridicule l'affirmation selonlaquelle l'être humain n'est pas fait pour marcher sur ses deux jambes.

D'un point de vue purement mécanique, la station debout endommage beaucoup moins la colonne vertébrale que la marche à quatre pattes. Pensez à un cheval ensellé. Tous les vétérinaires savent que les bassets allemands sont sujets à des hernies discales qui paralysent les membres postérieurs. Cela arrive très rarement chez les humains.

Puisque la médecine traditionnelle a échoué à expliquer les causes du mal de dos, il est normal de retrouver de telles inepties en guise d'explication. La colonne vertébrale est très robuste. Le coupable est l'anxiété propre à notre époque.

Recommandations et interdictions habituelles

Assoyez-vous droit.

Variantes: «Utilisez une chaise droite, pour bien appuyer votre dos.» «Quand vous êtes assis dans un fauteuil mou ou dans un sofa mou, votre colonne n'est pas soutenue et cela cause des maux de dos.»

Ces idées ne sont pas du tout prouvées par les faits, mais la plupart des gens les trouvent logiques. Souvent en effet, on se plaint que la douleur survient ou empire lorsqu'on s'assoit. Cela vient du fait que l'on s'assoit souvent sur des muscles douloureux. De plus, dès que quelqu'un associe le fait de s'asseoir et la douleur, il se met à avoir toujours mal quand il s'assoit.

Ne vous assoyez pas les jambes croisées.

Je ne la comprend pas, celle-là. Selon mon expérience, ça n'a aucun lien avec notre problème. On peut associer à la douleur un très grand nombre de positions ou de mouvements. La plupart du temps, il s'agit d'un conditionnement: on s'attend à la douleur, et la voilà.

Ne restez pas longtemps debout.

Ou bien: «Quand vous restez longtemps debout, mettez un pied sur un petit banc ou un bloc. Ça permet de redresser un peu le bas de votre colonne. Une colonne trop courbée comprime les nerfs rachidiens.»

Beaucoup de personnes se plaignent que la station debout prolongée cause ou aggrave le mal du bas du dos. Mais ça n'a rien à voir avec une quelconque pression sur les nerfs rachidiens. C'est sans doute parce que l'inactivité ralentit la circulation du sang dans les muscles du bas du dos et des fesses. La marche améliore l'état de ces malades. Tous ces problèmes disparaissent quand on applique le traitement contre le S.T.M.

Utilisez un matelas ferme.

Un des mythes les plus profondément enracinés veut que l'on doive dormir sur une surface dure. On peut facilement imaginer comment cela a commencé: un homme raconte à son médecin qu'un bon matin, il s'est réveillé avec un terrible mal de dos. Essayant d'en savoir plus long, le médecin lui demande:

«Dans quel genre de lit dormez-vous?

— Eh bien! mon lit est très vieux, il plie quand je m'y couche. Mon matelas est très vieux, lui aussi, il est très mou, et on sent que ce qu'il y a à l'intérieur s'est beaucoup tassé avec le temps.

— Voilà la réponse! Parce que votre lit ne supporte pas bien votre dos, celui-ci s'est courbé. Ne vous demandez pas pourquoi vous avez mal au dos.»

Si l'on croit que la cause des maux de dos se situe dans la colonne vertébrale, la conclusion du médecin est logique. Mais il n'y a rien qui le prouve. Il ne s'agit que d'un mythe, si profondément enraciné qu'il est à la base d'un commerce fort lucratif. Tout le monde croit fermement aux vertus d'un matelas dur, au point qu'une génération complète se prive du plaisir de se jeter dans un matelas moelleux.

Certaines personnes diront: «Mais je préfère les matelas fermes.» Cela n'a rien à voir avec votre dos. Si vous préférez un matelas ferme, tant mieux pour vous. Quand quelqu'un est sûr que dormir sur un matelas dur ou même sur le plancher va lui faire du bien, alors sa douleur va vraiment diminuer. Pareillement, si l'on croit qu'un matelas mou cause la douleur, il en provoquera immanquablement. Beaucoup de personnes ont du mal à accepter cette vérité et me demandent comment je peux être si certain que tout cela provient d'un conditionnement. Je me base sur les guérisons durables qu'ont amenées nos méthodes de traitement. Une personne guérie du S.T.M. peut dormir sans problème sur le plus mou des matelas.

Ne portez pas de talons hauts.

Cette recommandation vient sans doute du fait que le port de talons hauts augmente la courbure lombaire (lordose), ce qui, selon la plupart des gens, rétrécit l'espace par où passent les nerfs rachidiens. Cette idée ne repose sur aucune preuve. Celle qui suit non plus, d'ailleurs.

Ne nagez ni le crawl ni la brasse.

On veut ainsi éviter de courber la région lombaire, ce qui est censé comprimer les nerfs rachidiens et provoquer de la douleur. J'ai encouragé plusieurs de mes patients à pratiquer ces styles de nage, ce qu'ils ont fait sans douleur, contribuant ainsi à infirmer cette hypothèse.

Ne vous couchez ni sur le dos ni sur le ventre.

On veut toujours éviter de courber la région lombaire. Rien à rajouter.

L'embonpoint est mauvais pour le dos.

Si je comprends bien, l'excès de poids augmente la pression que subit la colonne vertébrale, ou bien c'est le ventre proéminent qui augmente la courbure lombaire. Quoi qu'il en soit, on n'a aucune preuve que l'embonpoint engendre ou augmente les maux de dos.

Les pieds plats causent le mal de dos.

On n'en a aucune preuve.

Vous avez une jambe plus courte que l'autre; il va falloir compenser ça.

Un des plus vieux mythes veut que l'écart entre la longueur des deux jambes engendre le mal de dos. Il est normal qu'une jambe soit plus courte que l'autre et cette différence peut aller jusqu'à un centimètre. Mais on dit aussi que cela fait pencher le bassin, d'où le mal de dos. Ce n'est qu'un mythe.

Pas de course quand on a mal au dos.

Puisque la course à pied a récemment gagné en popularité, une foule d'experts se sont évidemment penchés sur les problèmes liés à la pratique de ce sport. Il est clair que des blessures sérieuses peuvent survenir, soit parce que les coureurs outrepassent leurs limites, soit à cause d'accidents. Mais on se fait un grand nombre d'idées fausses sur les effets qu'a ce sport sur le dos.

Une des principales idées est que les chocs que le coureur fait subir à sa colonne sont mauvais pour celle-ci. Cela a l'air très logique quand on est au courant de la dégénérescence naturelle des disques interver-tébraux, qui perdent peu à peu la capacité d'amortir les chocs. Mon expérience me montre cependant que cela n'a rien de pathologique et que la colonne s'adapte à cette nouvelle situation. L'adaptabilité des êtres vivants est très grande.

Au fil des ans, j'ai eu à soigner des personnes auxquelles on avait interdit de courir ou de pratiquer tout sport violent à cause de maux de dos. Beaucoup d'entre elles souffraient de problèmes aux disques et on leur avait dit que ces sports pourraient avoir des effets néfastes sur leur état de santé. On craignait surtout pour leurs jambes. Quand il a été clair que ces personnes ne souffraient que du S.T.M., on les a encouragées à reprendre leurs anciennes activités sportives dès la fin du traitement. On n'a enregistré aucune rechute. Le seul obstacle à la reprise des activités sportives a été la peur, qu'il fallait prendre le temps de faire perdre aux patients. Il suffit de faire de nouveau confiance à son dos.

Je me souviens d'un jeune homme dont le mal de dos était apparu au cours d'une partie de tennis. Après le traitement, il se remit à jouer. Deux ans plus tard, il m'a dit au téléphone que tout allait très bien, qu'il jouait régulièrement au tennis, mais se demandait pourquoi il ressentait parfois quelque malaise après une partie. Pas chaque fois, mais une ou deux fois par mois. Je lui ai rappelé que sa première attaque avait eu lieu au cours d'une partie de tennis. Sans doute une légère peur inconsciente du tennis lui était-elle restée. On ne peut jamais extirper toute la peur.

On me raconte souvent que c'est le jogging qui a déclenché la douleur, bien que celle-ci ait pu apparaître plusieurs heures ou quelques jours après la course. Cela cadre très bien avec le S.T.M. On encourage donc ces personnes à se remettre à courir dès que la douleur est disparue. En effet, la course à pied, tout comme la natation, améliore beaucoup l'endurance aérobique et constitue un excellent évacuateur de tension. Il est donc extrêmement dommageable d'interdire ces activités, d'autant plus que le mal de dos engendre encore plus de tension.

On attribue à la course à pied certaines «blessures» à la jambe et au pied. Quelques-unes sont réelles: déchirements musculaires, fractures. Mais mon expérience m'a montré que les douleurs rapportées sont le plus souvent dues à une tendinite ou à une irritation des nerfs lombaires ou sciatiques. La tendinite la plus courante se retrouve dans les ligaments de chaque côté du genou. Quelquefois aussi, il peut s'agir du tendon d'Achille ou des ligaments de la rotule. Le plus souvent, le traitement du S.T.M. amène la disparition de ces tendinites. Cela peut cependant prendre plus de temps que pour les douleurs aux muscles et aux nerfs.

Depuis dix-neuf ans, je cours tous les matins, pour un total hebdomadaire de 15 à 30 kilomètres, été comme hiver. J'ai eu mal au dos, aux jambes et aux pieds, mais cela ne m'a jamais empêché de courir. Je savais qu'il s'agissait du S.T.M.

Il y a quelque temps, j'avais couru près d'un kilomètre quand je ressentis une douleur dans le mollet gauche. Je me suis arrêté, me suis convaincu qu'il ne s'agissait ni d'une phlébite, ni d'une inflammation, en somme de rien d'important; j'ai conclu à un S.T.M. sciatique. J'ai donc couru les quatre kilomètres qui restaient. De retour chez moi, la douleur avait disparu. Il s'est passé la même chose les deux matins suivants, mais la douleur était de moins en moins forte. Le quatrième jour, pas de problème. La situation aurait été bien différente si j'avais cru que la sciatique était due à un problème discal.

J'ai consacré les deux premiers chapitres de ce livre à décrire les diagnostics et les méthodes traditionnelles de traitement du mal de dos. Je voulais ainsi répondre à l'avance aux questions qui surviendraient lors de la description du S.T.M. et de sa méthode de traitement. Pour progresser, il faut laisser tomber les vieilles idées, même si c'est parfois difficile. On reconnaît partout que les maux au dos, aux épaules et au cou sont des problèmes importants et pourtant non résolus. Je vais donc consacrer les chapitres suivants au diagnostic et au traitement du S.T.M. J'espère ainsi aider tant les médecins que les victimes du mal de dos.

Références

1. THORSTEINSSON, G., H.H. STONNINGTON, G.K. STILLWELL and L.R. ELVEBACK. «The Placebo Effect of Transcutaneous Electrical Stimulation», *Pain*, vol. 5 (1978), p. 31.

2. NACHEMSON, A.L. «The Lumbar Spine: An Orthopaedic Challenge», *Spine*, vol. 1 (1976), p. 59.

Chapitre 3

Les causes du mal de dos

Les maux au cou, aux épaules et au dos ne sont pas des problèmes purement physiques qu'on doit soigner par des moyens purement physiques. Ils sont reliés aux émotions, à la personnalité et aux problèmes de la vie de chacun. Le mal de dos est surtout lié au caractère, ce qui explique pourquoi il est si répandu. Les Nord-Américains sont des gens qui travaillent fort, qui prennent la vie avec sérieux et qui ont un grand sens des responsabilités. Or, au fur et à mesure que la vie se complique, elle engendre de plus en plus de tension.

C'est au caractère qu'on doit principalement l'apparition des tensions. Il existe un profil de personnalité spécifiquement lié au S.T.M., quoique non restreint à ce dernier. On retrouve ce même profil chez des personnes souffrant de certains autres problèmes, tels les ulcères ou la colite. La personnalité S.T.M. ressemble sous plusieurs aspects à celle des individus dits de type A; dans leur livre *Type A Behavior and Your Heart*[1], les Drs M. Friedman et R.H. Rosenman ont montré que ces personnes étaient particulièrement prédisposées aux troubles coronariens. La différence avec les gens atteints de S.T.M. n'est qu'une question de degré. Les individus de type A sont obsédés par leur travail et leurs responsabilités, ils ne se reposent ni ne s'amusent jamais, et leurs ambitions n'ont pas de limites. Ceux au profil S.T.M. sont, eux aussi, consciencieux, responsables, travailleurs et parfois compulsifs, mais ils sont au fait de leurs limites et du besoin de se reposer. Ils sont plus près de leurs émotions. Chez les deux groupes, cependant, la poussée motivationnelle est interne; les circonstances ne font que concrétiser le besoin de s'accomplir ou de remplir parfaitement un rôle, que ce soit celui de parent, d'étudiant ou de travailleur.

Un bon exemple est celui d'un patient qui, par un travail acharné, avait monté une affaire très prospère et était devenu le patriarche et le bienfaiteur de sa grande famille. Il aimait cette situation mais en ressentait durement les responsabilités. Tout au long de sa vie adulte, il avait souffert de douleurs lombaires, réfractaires à tout traitement. Quand je l'ai rencontré, l'habitude de la douleur était ancrée dans sa vie. Il a compris que la douleur était due à la tension mais il était incapable de changer ses habitudes de vie. D'autre part, il a acquis la certitude que son dos était physiquement sain.

Un autre patient était un homme d'une vingtaine d'années, devenu père deux mois avant d'ouvrir une succursale de la quincaillerie familiale. Chez ce jeune homme très consciencieux, l'apparition simultanée de ces nouvelles responsabilités a amené un S.T.M. dans le bas du dos. Dès qu'on eut identifié la tension comme la source de sa douleur, celle-ci disparut rapidement. Cela arrive fréquemment chez les personnes traitées pour un S.T.M. On en discutera plus longuement au chapitre 5.

Les patients dont nous venons de parler avaient en commun un sens profond des responsabilités et une grande motivation intérieure à réussir à la fois dans les affaires et dans leur vie familiale. On n'a pas à diriger de telles personnes: elles se motivent et se disciplinent elles-mêmes, et elles sont leur critique le plus sévère. Il s'agit là d'une des sources de tension les plus courantes.

À côté du rôle prépondérant du caractère, les circonstances jouent aussi un rôle dans l'apparition de la tension. Je me souviens d'un enseignant au secondaire, qui travaillait le samedi comme pompiste afin d'arrondir ses fins de mois. Un samedi, j'ai reçu un appel d'urgence: il ressentait une vive douleur à la poitrine. L'examen ne révéla aucun signe de problème cardiaque et son électrocardiogramme (É.C.G.). était normal. La douleur était sans aucun doute d'origine musculaire. Par la suite, j'ai pu m'entretenir avec lui et nous avons conclu que l'humiliation de travailler dans une station-service, où ses étudiants pourraient le voir, avait causé beaucoup de tension, avec le résultat que l'on sait. Nous nous sommes mis d'accord sur le fait qu'il lui serait préférable de trouver une autre manière d'augmenter ses revenus.

Bien que la tension due au travail soit courante et aisément discernable, la dynamique familiale engendre aussi des problèmes sérieux, plus difficiles à distinguer parce que plus subtils. J'ai eu comme patiente une femme d'origine méditerranéenne, dans la quarantaine avancée. Elle avait eu une adolescence isolée, s'était mariée jeune, puis, comme l'exigeait sa culture, elle s'était consacrée uniquement à sa maison et à sa famille. Ce que fit très bien cette femme intelligente, compétente et sensible. Mais vint un moment où elle regretta de n'avoir pu aller à l'école et fut peinée que sa famille désapprouve qu'elle veuille apprendre à conduire et que ce soient les besoins de sa famille qui aient entièrement déterminé sa vie. Parce qu'elle n'était pas vraiment consciente de son ressentiment, celui-ci engendra un mal de dos très important, qu'on tenta de soulager par une intervention chirurgicale. Mais la douleur avait persisté. Quand j'ai pris connaissance de son cas, elle était presque totalement invalide. C'est la prise de conscience de ses sentiments réprimés et la résolution de modifier sa vie qui firent que la douleur s'effaça. Mais alors elle eut à subir des chocs psychologiques, dus autant à la désapprobation de sa famille et de ses amis qu'à ses propres habitudes bien enracinées. Elle passa alors d'une douleur physique à une douleur psychologique, plus appropriée à la situation. Mais la cessation de la douleur physique en valait la peine, disait-elle.

La combinaison de certains traits de caractère et des circonstances engendre souvent des conflits, sources habituelles de tension. Je me souviens d'une femme que j'avais guérie d'une douleur lombaire deux ans avant qu'elle ne me rappelle pour me dire qu'elle souffrait maintenant de douleurs au cou, aux épaules et aux bras. Elle était certaine qu'elles étaient dues à ses relations avec son mari et sa belle-fille adolescente. Je l'encourageai à ne pas se faire traiter. Dans les mois qui suivirent, la situation psychologique demeura inchangée, la douleur persista et ses épaules perdirent une grande partie de leur mobilité. Elle résista aux pressions de ses proches, qui lui conseillaient de subir de nouveaux tests et un traitement. Et puis, un jour, elle se décida à parler à son mari. Il en résulta un renversement de la situation et sa douleur disparut. Elle se mit à faire des exercices et ses épaules recouvrèrent peu à peu leur entière mobilité. Le lien entre le conflit psychologique et la douleur physique est évident dans ce cas. Un conflit non résolu engendre de la tension, qui se manifeste en douleur.

Parfois l'origine de la tension n'est pas évidente. Je me souviens d'une jeune femme mariée, dont la réaction au diagnostic d'un S.T.M. fut une grande surprise. Elle se défendait bien d'être tendue ou nerveuse et elle disait n'être pas particulièrement consciencieuse ni compulsive. L'ami qui l'accompagnait disait de même; il affirmait qu'on la qualifiait de personne gaie, qui prend la vie du bon côté. Ce n'est qu'après une longue discussion qu'elle a admis qu'elle résolvait ses problèmes en les chassant de son esprit. Elle ne laissait rien lui causer des tracas. Il s'agit là d'une méthode éprouvée pour engendrer de la tension. On ne se débarrasse pas de ses problèmes en les ignorant, on les relègue alors dans l'inconscient, où ils sont tout à fait libres d'engendrer de l'anxiété. Et cette tension refoulée se manifestera sous forme de symptômes physiques, tel un S.T.M.

Quelles sont la nature et l'origine de la tension? J'ai suggéré précédemment qu'il s'agissait de la résultante de certains traits de caractère et des circonstances, mais une recherche plus approfondie montrerait d'autres facteurs liés au besoin de s'accomplir, d'être responsable ou fort. Chacun ne veut-il pas être aimé, approuvé et admiré? Ce sont là des besoins fondamentaux, habituellement inconscients, et, ce qui est plus important, souvent en conflit avec d'autres motivations inconscientes. L'homme qui veut paraître fort peut aussi se sentir vulnérable ou vouloir se faire cajoler. Mais la peur de ne pas paraître viril lui fera négliger ces besoins. Ce conflit inconscient génère de la tension. Les gens qui se démènent au travail peuvent se sentir obligés de travailler fort ou de rester toujours sous pression. Comment peuvent-ils prouver qu'ils sont quelqu'un autrement qu'en réussissant?

Même si les besoins d'amour et d'approbation semblent être universels, ils peuvent être comblés de diverses manières, parfois en conflit avec d'autres besoins. La Méditerranéenne dont j'ai parlé plus haut voulait être une bonne mère, mais elle avait aussi des besoins personnels. Ce conflit résulta en colère refoulée et en sentiment de culpabilité. Il engendra de la tension qui, à son tour, causa un mal de dos.

On ne doit pas éliminer toute tension. Une certaine dose est nécessaire à une vie normale et fournit l'énergie pour nos activités quotidiennes. C'est quand la tension est excessive que les problèmes commencent.

Karen Horney, psychanalyste célèbre, a écrit au sujet de la tyrannie du «je devrais…»[2]. «Je devrais être un bon employé (ou un bon parent, une fille ou un garçon attentionné, un bon citoyen).» Et c'est de cette bataille, ayant cours dans le subconscient, entre les «je devrais» et les «je m'en fiche», que provient souvent la tension.

Un des pires aspects du S.T.M. est que le processus s'autogénère. Après son apparition s'installe habituellement un cercle vicieux dans lequel de nombreux éléments tendent à augmenter l'anxiété, et par conséquent la douleur. La douleur elle-même engendre de l'anxiété et donc une douleur encore plus grande. Le diagnostic même est aussi une source d'anxiété. Les personnes souffrant d'un mal de dos ont souvent rencontré de nombreux médecins et autres professionnels de la santé, chacun avec son explication. Elles ne savent finalement plus du tout qui croire et deviennent très inquiètes: «Qu'est-ce que j'ai au dos? Qui a raison?»

Des termes comme «dégénérescence» ou «détérioration» font peur. Le malade s'imagine avec le bas de sa colonne s'émiettant peu à peu, avec les jambes paralysées, dans un fauteuil roulant. Toutes ces images terrifiantes augmentent son anxiété et, par le fait même, la douleur.

Une femme m'a raconté qu'elle était sortie du cabinet de son médecin en état de choc. Elle a failli s'évanouir dans la rue après qu'on lui ait dit que le bas de sa colonne subissait une dégénérescence. Une autre patiente avait décidé de s'informer sur la manière d'éliminer un petit malaise: après une partie de tennis, elle ressentait parfois des tiraillements dans le bas du dos. Elle aurait bien aimé savoir pourquoi. On prit une radiographie et on lui annonça que ses tiraillements étaient dus à la détérioration du disque intervertébral L5-S1. On lui recommanda de renoncer au tennis et de limiter ses activités physiques. Elle avait mené jusqu'alors une vie tout à fait normale. Au cours des mois suivants, sa douleur s'aggrava. De plus, elle se mit à avoir mal dans la jambe gauche. De semaine en semaine, elle devenait moins active et plus craintive. Finalement, sa douleur devint généralisée, avec des crises occasionnelles de spasmes, qui la clouaient au lit deux ou trois jours. Elle était convaincue que la dégénérescence du bas de son dos s'accentuait, que ses douleurs à la jambe étaient dues à la compression des nerfs et qu'elle devrait sous peu se soumettre à la chirurgie.

Il était évident que c'était le diagnostic qui avait déclenché cette escalade. L'examen ne révéla qu'un S.T.M., et, quand on lui eut expliqué que les anomalies décelées par la radiographie étaient normales à son âge, son état s'améliora rapidement. Quelques mois plus tard, elle était revenue à sa vie normale et elle jouait de nouveau au tennis.

La peur de l'activité physique peut aussi aggraver et maintenir un S.T.M. Lors d'une attaque aiguë, on prescrit toujours de garder le lit. On considère que l'anomalie structurale a besoin de temps pour guérir ou que l'inflammation doit se résorber. Quelquefois le repos atténue la douleur, mais même dans le cas contraire, le malade n'arrive pas à garder le lit et se met à se promener. Toute activité physique cause beaucoup d'émoi. Les médecins aussi bien que les amis conseillent au malade de ne pas se pencher, de ne rien soulever, de ne pas faire le moindre effort. La personne devient peu à peu conditionnée, programmée, au point que la seule pensée de l'exercice lui fait peur. D'où un S.T.M. plus fort et plus douloureux. Il s'agit ici d'un autre cercle vicieux.

En plus, un ensemble de facteurs psychologiques ajoutent à l'anxiété. La personne finit toujours par se sentir incapable. La mère de jeunes enfants ne peut plus les lever ou jouer avec eux comme avant. Le père n'est plus en mesure de jouer au football ou de faire du ski avec son fils. La ménagère ne peut plus passer l'aspirateur, ni faire les lits, ni travailler à l'évier: on doit se pencher un peu vers l'avant, ce qui fait très mal. On doit restreindre ses activités sociales, on ne peut plus aller au cinéma, ni recevoir, ni jouer aux quilles. Ou bien la douleur nous interdit ces choses, ou bien celles-ci engendrent de la douleur.

Bien qu'on en parle peu souvent, l'activité sexuelle peut aggraver le mal de dos. Faire l'amour est une activité physique intense; alors, la douleur et la peur de la douleur peuvent empêcher l'un ou l'autre partenaire d'être satisfait: un autre cercle vicieux.

Les travailleurs finissent toujours par s'inquiéter du temps de travail qu'ils perdent, du risque de perdre leur emploi, de leur sécurité financière et de la possibilité de devenir invalide. On voit facilement pourquoi ces gens sont désespérés et pourquoi la douleur et l'anxiété augmentent. Ils deviennent souvent irritables et déprimés, jusqu'au point de ne plus réagir à des traitements autrefois bénéfiques.

Où va cette tension excessive? Comme elle ne s'évapore pas, on doit la dissiper, l'utiliser ou la brûler. On pourrait poser l'hypothèse suivante quant à la conservation de l'énergie psychique: une fois créée, sous forme de tension, par exemple, cette énergie doit être exprimée d'une manière ou d'une autre. La voie la plus logique et directe devrait être celle des émotions. C'est sa source, après tout. On devrait alors tantôt avoir la frousse, tantôt se sentir nerveux ou tendu. Ce sont des sentiments désagréables et inacceptables, autant pour soi-même que pour son entourage. Personne n'aime perdre le contrôle de soi-même, ni être vu comme froussard ou nerveux. Parce que l'expression
68

émotionnelle de la tension **est** réprimée tant par l'individu que par la société, le cerveau choisit un autre exutoire: le corps. Avant de voir comment tout cela se passe concrètement, nous allons tenter de comprendre un peu mieux les raisons de ce processus de sublimation.

Les problèmes mentaux ou émotionnels ne sont pas toujours acceptés par la société. Bien que les choses s'améliorent, la plupart des gens éprouvent une forte réticence à admettre de tels problèmes et encore plus à chercher de l'aide auprès d'un psychiatre ou d'un psychologue. Et les médecins contribuent à cette situation: ils préfèrent s'occuper de troubles physiques et sont mal à l'aise en présence de problèmes émotionnels. Habituellement, ils prescrivent un médicament en espérant que ça va passer. Les gens sont sensibles à ces attitudes. De leur côté, les personnes souffrant de problèmes physiques n'ont pas à subir de tels préjugés. Aux États-Unis, les assurances vont payer les traitements physiques les plus sophistiqués, y compris des tests diagnostiques de plusieurs milliers de dollars ou de coûteuses interventions chirurgicales; mais la plupart des polices d'assurance excluent ou limitent sévèrement les sommes remboursables quand il s'agit de psychothérapie.

En conséquence, le cerveau met au point une stratégie pour ôter au problème son aspect émotionnel en transformant tout à fait inconsciemment la tension en un problème physique, qui sert de *substitut*. Le malade n'a plus à avoir honte, sa tension est *cachée*. Ce processus est très courant et à peu près tout le monde en fait l'expérience une ou plusieurs fois au cours de sa vie. On appelle cela les maladies *psychosomatiques*: ce sont des problèmes physiques dus à des phénomènes émotionnels. On y retrouve le S.T.M.; des problèmes d'estomac, dont les brûlures d'estomac, les dérangements, la gastrite, les ulcères, la hernie hiatale; la colite; les coliques; la céphalée de tension; la migraine; l'urticaire; l'eczéma; le rhume des foins; l'asthme, et plusieurs autres.

Il y a quelques années, alors que je commençais à soupçonner que la tension était à l'origine de la plupart des maux de dos, j'ai effectué une enquête auprès d'un grand groupe de patients souffrant de S.T.M. J'ai trouvé que 88 p. 100 d'entre eux avaient souffert d'une maladie psychosomatique au cours de leur vie; 28 p. 100 en avaient eu au moins *quatre*.

Je dois ici remercier Russell Baker, chroniqueur du *New York Time Magazine*. Dans une de ses chroniques du dimanche, intitulée «Où sont passés tous les ulcères?»[3], il mentionnait que le nombre d'ulcères d'estomac semblait moindre qu'avant. Cet article m'a amené à penser que depuis que tout le monde, tant les médecins que les profanes, sait que les ulcères sont dus à la tension, ceux-ci ne camouflent plus rien. Ils sont donc plus rares. Serait-ce la raison du récent accroissement du nombre de cas de maux au cou, aux épaules et au dos?

Un autre élément tend à prouver que la cause des maux de dos est psychologique et pas structurale. Les douleurs nocturnes, qui réveillent soudainement les malades d'un sommeil profond, sont courantes. On se dit qu'on a dû se retourner en dormant. On trouve cela très étrange, surtout que l'on présente le repos au lit comme un traitement adéquat; il a sans doute pour but de reposer la colonne de son travail de soutien du poids corporel. Alors pourquoi tant de personnes éprouvent-elles leurs douleurs les plus aiguës en dormant?

C'est dans l'inconscient que réside la tension, et l'inconscient ne se repose jamais. Il semble que certaines personnes souffrant de S.T.M. voient le niveau de leur tension augmenter pendant leur sommeil, d'où un accroissement de la douleur. J'ai observé, aussi bien sur moi-même que chez mes patients, qu'il y a une correspondance directe entre le niveau de tension et l'intensité de la douleur. J'ai moi-même un caractère compulsif et perfectionniste. J'ai donc souffert au cours des années de plusieurs malaises physiques dus à la tension, y compris des S.T.M. aux épaules et dans la région lombaire. Pendant deux étés, j'ai souffert d'une sciatique aiguë. Ce n'est qu'à la fin du deuxième été que je me suis rendu compte qu'elle était liée au tennis. Je venais de commencer à pratiquer ce sport dans l'espoir de devenir tout de suite un champion, d'où beaucoup de tension. La douleur se manifestait surtout la nuit, ce qui est courant chez moi.

J'ai observé attentivement des cas de S.T.M. en milieu hospitalier, et il est clair que l'intensité de la douleur reflète le niveau de tension. Par exemple, un patient bouleversé par un appel téléphonique d'un membre de sa famille souffrait le martyre deux heures plus tard.

En bref, c'est le niveau de tension qui détermine le moment et l'intensité de la douleur. On ne sait toujours pas pourquoi la tension est plus forte la nuit seulement chez certaines personnes. Le S.T.M. va d'une douleur très faible à l'invalidité complète. La plupart des cas se situent entre ces deux extrêmes.

Il y a quelques années, alors que mes recherches commençaient à mettre au jour le S.T.M., j'ai effectué une recension d'écrits médicaux afin de trouver une confirmation à mes hypothèses. Je ne pouvais croire être le premier à décrire ce désordre. J'ai été rassuré de trouver, dans une édition de 1946 du *New England Journal of Medicine*[4], un article du major Morgan Sargent, médecin originaire de Boston. Il était alors en poste à un centre de convalescence de l'Aviation, à Saint-Petersburg, en Floride. Dans son article, il traitait des problèmes de maux de dos chez d'anciens soldats de l'Aviation. Il a examiné de nombreux jeunes gens se plaignant de maux de dos; c'est seulement dans 4 p. 100 des cas que l'on pouvait attribuer la douleur uniquement à des causes structurales. Tous les autres cas étaient dus uniquement ou principalement à des facteurs psychologiques. C'est avec une émotion de plus en plus vive que je me suis rendu compte qu'il décrivait exactement le S.T.M. Il parlait de la tension musculaire comme d'une manifestation physique d'une grande tension nerveuse. Il décrivait de nombreux cas typiques de S.T.M. et montrait que les patients attribuent le plus souvent leurs douleurs à une blessure, souvent ancienne; il mentionnait que les problèmes commençaient souvent lors d'une situation tendue; il affirmait que les symptômes étaient très variés. Il a rapporté qu'un de ses patients déclarait avoir ressenti de l'anxiété lorsque son mal de dos a disparu. Cet article a été important pour moi: j'avais besoin d'être encouragé par le fait de savoir que quelqu'un avait observé les mêmes phénomènes que moi.

J'ai par la suite trouvé un autre article des Drs Holmes et Wolff, pionniers célèbres du domaine de la douleur, où ils mettaient en relation les événements, les émotions et le mal de dos[5]. C'est cet article qui m'a suggéré l'hypothèse que le fondement physiologique de la douleur pourrait être la diminution de la circulation sanguine.

Les fondements physiologiques de la douleur

Le cerveau est à la fois l'organe le plus complexe du corps humain et celui que nous connaissons le moins. Il est le siège de ce qui nous caractérise comme êtres humains: la pensée, la parole, les émotions. Il est beaucoup plus simple de comprendre les fonctions que nous partageons avec les autres animaux, comme le mouvement, la digestion et l'excrétion. Mais les fonctions qui nous rendent uniques sont les plus complexes et sont encore mal connues. C'est ainsi que nous ne pouvons pas décrire ce qui cause le S.T.M.; mais cela ne veut pas dire que nous ne connaissons rien du processus lui-même. Nous savons que le S.T.M. a son origine dans le cerveau; allons donc y voir un peu.

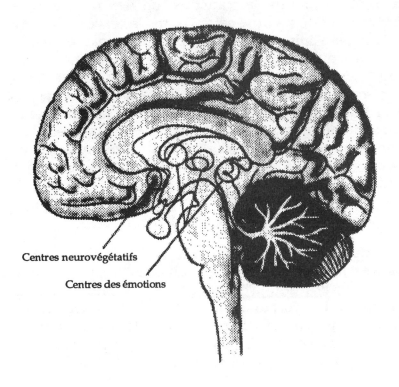

Centres neurovégétatifs

Centres des émotions

Figure 5.
Centres des émotions et centres neurovégétatifs.

On appelle «système limbique» un groupe de cellules nerveuses situées assez profondément dans le cerveau. Les émotions sont reliées à ce système. La figure 5 montre où se situe ce «centre des émotions». On trouve tout près un autre groupe de cellules qui régissent les fonctions inconscientes du corps, telles la sécrétion des larmes et de la salive, la respiration, la régulation du rythme cardiaque, les fonctions digestive, urinaire et sexuelle, et – ce qui nous intéresse particulièrement – l'irrigation sanguine des diverses parties du corps. On appelle ce système «neurovégétatif». On peut aussi en voir l'emplacement à la figure 5.

La figure 6 montre la transmission des messages, à partir du centre neurovégétatif, dans le cerveau, le long de la moelle épinière, puis, grâce à un réseau de nerfs, jusqu'aux divers organes. Le but de ce système est de maintenir un fonctionnement optimal du corps dans diverses circonstances, que ce soit la vie quotidienne ou des situations exceptionnelles. Dans ce but, le système neurovégétatif réagit à des stimuli très variés. Par exemple, quand il fait froid, le centre neurovégétatif réduira l'irrigation sanguine de la peau, de manière à conserver la chaleur. Au contraire, quand il fait chaud, ces régions seront beaucoup plus irriguées, pour dissiper la chaleur corporelle.

Bien que la plupart des stimuli auxquels réagit le système neurovégétatif soient physiques, par exemple la chaleur, le froid, la faim et la fatigue, les émotions sont aussi d'importantes sources de stimuli. Quand on est triste, un liquide salé coule des glandes lacrymales; quand on est en colère, les yeux s'ouvrent très grand, le rythme cardiaque s'accélère et les muscles se tendent; quand on a peur, le corps tout entier se prépare à fuir ou à lutter. Cela arrive chez tous les animaux. Mais les êtres humains sont plus compliqués et jouissent d'un plus grand éventail d'émotions, parmi lesquelles se trouve la tension. Si certains animaux peuvent montrer de la tension et de l'anxiété dans des situations artificielles, la tension fait partie de la vie quotidienne des humains, et un excès de tension peut engendrer des problèmes physiques, parmi lesquels le S.T.M. est sans doute maintenant le plus répandu.

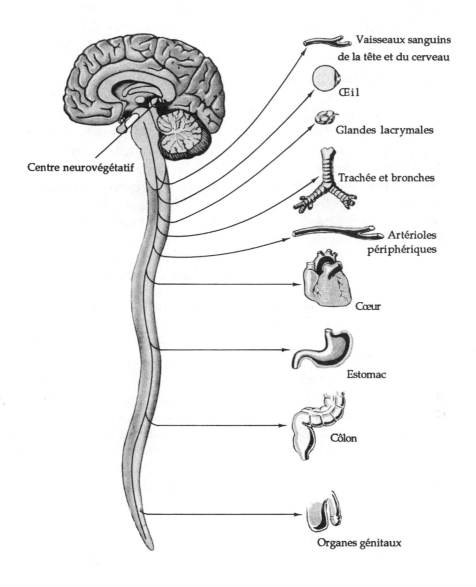

Vaisseaux sanguins
de la tête et du cerveau

Œil

Glandes lacrymales

Trachée et bronches

Artérioles
périphériques

Cœur

Estomac

Côlon

Organes génitaux

Centre neurovégétatif

Figure 6.
Le sytème neurovégétatif est relié à plusieurs organes, dont les
artérioles. C'est dans les artérioles que la tension induit un
changement dans la circulation sanguine, provoquant la douleur.

Après cette introduction, nous sommes prêts à aborder la physiologie du syndrome de tension musculaire. Le système neurovégétatif contrôle la circulation du sang dans tout le corps. Grâce au cœur, le sang est pompé dans un réseau de vaisseaux de grande taille, les artères, qui se subdivisent en vaisseaux de plus en plus petits, jusqu'aux artérioles, qui irriguent l'ensemble des tissus. C'est le système neurovégétatif qui décide si une partie donnée du corps – les muscles des fesses, par exemple – va recevoir, à un instant donné, une quantité de sang normale, plus grande qu'à l'accoutumée, ou plus faible. Ces modifications peuvent être causées par le chaud ou le froid, par l'activité physique, ou par la peur ou l'anxiété. C'est le système neurovégétatif qui coordonne tous ces changements.

Le S.T.M. est le résultat d'une diminution du débit sanguin dans une région donnée, à cause de la tension. On appelle *ischémie* une telle diminution. La tension réduit le diamètre des artérioles – c'est la vasoconstriction – ce qui ralentit la circulation sanguine, privant les tissus de leur alimentation normale en sang. Bien que tous les muscles du cou, des épaules et du dos puissent être touchés, on note un ordre de préférence des sites atteints. La partie supérieure externe des fesses vient en premier lieu, suivie du haut des épaules et des côtés du cou.

La baisse du débit sanguin *n'est pas* suffisante pour endommager les muscles et les nerfs, sauf de rares exceptions. C'est pourquoi on relie toujours le mal de dos à des anomalies structurales. L'exposition du corps à une basse température induit un état similaire, avec vasoconstriction et diminution de l'apport sanguin, mais il s'agit dans ce cas d'une réaction normale. Si la température augmente, l'apport sanguin fait de même; si la tension diminue, les artérioles vont se rouvrir.

La figure 7 montre la moitié interne de la fesse normalement alimentée en sang alors que la moitié externe est privée de son apport nécessaire à cause d'une constriction de l'artère la desservant. Cela se manifeste sous forme de douleur, en premier lieu à cause de l'accumulation de déchets chimiques dans le

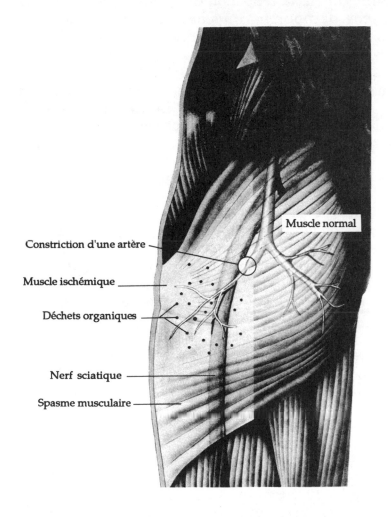

Figure 7.
On peut voit les trois manières dont une ischémie peut engendrer de la douleur: spasme musculaire, accumulation de déchets organiques et névralgie.

muscle. Ceux-ci sont habituellement emportés dans le sang pour être éliminés ailleurs dans l'organisme; mais parce que la circulation est lente et insuffisante, ils peuvent maintenant s'accumuler. Sur le schéma, on les a représentés par des points noirs.

En second lieu, la réduction de la circulation sanguine empêche de nourrir convenablement les muscles à cause d'un apport d'oxygène insuffisant, ce qui provoque des spasmes. Ceux des muscles du dos ressemblent aux crampes du mollet, que nous connaissons tous. Mais les spasmes du dos ou du cou sont durables. Les crises de S.T.M. débutent souvent par des spasmes qui peuvent clouer le malade au lit.

En troisième lieu, les nerfs aussi manquent d'oxygène, en particulier le nerf sciatique – dans la fesse –, les nerfs rachidiens – dans le dos et le cou –, et le plexus brachial; ce sont des nerfs périphériques. Ce manque provoque de la douleur. Lorsque l'apport d'oxygène est encore plus faible, on ressent des fourmillements, et les muscles peuvent s'affaiblir. Ce dernier symptôme est rare dans les cas de S.T.M.: il signifierait que les fibres nerveuses motrices, qui transmettent les messages du cerveau aux muscles, sont touchées.

À cause de leur position particulière dans la fesse, les nerfs périphériques les plus sujets au manque d'oxygène sont les nerfs sciatiques (un par jambe). Ils desservent la majeure partie des jambes. Si les nerfs rachidiens du cou et le plexus brachial sont atteints, on aura des douleurs dans les bras et les mains.

Les nerfs transmettent les messages à partir du cerveau et vers celui-ci, pour toutes les parties du corps. Quand un nerf est irrité ou endommagé – par manque d'oxygène, par exemple – on ressentira une douleur à l'endroit où se dirige le nerf, ou, si l'on préfère, dans la région desservie par le nerf. En bref, dans les cas de

S.T.M., le manque d'oxygène dans les nerfs engendre les douleurs aux bras et aux jambes.

On doit répéter que la tension peut se manifester, par l'intermédiaire du système neurovégétatif, par de multiples malaises physiques, dont le plus courant est le S.T.M. Il semble que toutes ces manifestations se valent, ce qui fait que quelqu'un pourra souffrir de brûlures d'estomac ou de céphalées au lieu de S.T.M. Nous allons voir que le traitement doit dépendre de la manière dont se manifeste la tension.

En résumé, on peut dire que la plupart des maux au cou, aux épaules et au dos sont dus au S.T.M., désordre physique bénin, dont la cause la plus immédiate est la réduction de l'irrigation des tissus. Ce problème circulatoire provient de la vasoconstriction des petits vaisseaux qui alimentent les tissus concernés. Cette constriction est provoquée par la tension. Quant à cette dernière, elle est la conséquence de certains traits de caractère, parfois exarcerbés par les circonstances.

Bien que la lutte pour la survie et pour le progrès ait toujours engendré de la tension chez les êtres humains, la vie actuelle est particulièrement stressante. On peut difficilement changer la société; mais grâce à une façon intelligente d'aborder le problème, on peut empêcher que la tension ne se transforme en malaises physiques.

Références

1. FRIEDMAN, M. et R.H. ROSENMAN, *Type A Behavior and Your Heart*, New York, Alfred A. Knopf, 1974.

2. HORNEY, K. *Neurosis and Human Growth*, chapitre 3, New York, W.W. Norton, 1950.

3. BAKER, R. «Where Have All the Ulcers Gone?», *The New York Times Magazine*, 16 août 1981, p. 14.

4. SARGENT, M. «Psychosomatic Backache», *New England Journal of Medicine*, vol. 234 (1946), p. 427.

5. HOLMES, T.H. et H.G. WOLFF. «Life Situations, Emotions and Backache», *Psychosomatic Medicine*, vol. 14 (1952), p. 18.

Chapitre 4

Le syndrome de tension musculaire

La plupart de mes patients attribuent leur mal de dos à une blessure subie lors d'un incident d'ordre physique: ils ont soulevé un objet lourd ou ils ont eu un accrochage en automobile. Quelques minutes, quelques heures ou même quelques jours plus tard, un mal au cou ou au dos a commencé, d'où le lien «évident». Certains de ces incidents étaient très peu importants. Comment des douleurs si graves peuvent-elles alors avoir pour cause des événements si divers? Je me souviens d'un homme de vingt-huit ans. Assis à son bureau, après quelques instants de repos, il s'était redressé pour continuer à écrire. C'est alors qu'il a ressenti un spasme extrêmement douloureux dans le bas du dos. Cette crise a été tellement grave qu'on dut appeler une ambulance pour le ramener chez lui. Puis, durant 48 horribles heures, le moindre mouvement faisait renaître les spasmes, en dépit des médicaments. Quel peut être le lien entre le fait de se redresser pour écrire, de subir un choc arrière en automobile, de frapper une balle de golf, de tomber sur la glace ou de sortir les ordures? Selon moi, ce ne sont que des *facteurs déclencheurs* qui n'ont rien à voir avec la cause fondamentale de la douleur.

J'ai effectué en 1978 une étude auprès de 100 personnes souffrant du S.T.M. pour savoir comment leur mal avait commencé. Pour 60 p. 100 des gens, il *n'y avait pas eu* d'incident d'ordre physique. Ils se sont réveillés un matin avec un mal de dos, ou bien celui-ci s'est peu à peu installé au cours de la journée. Par contre, tous ces patients essayaient de se rappeler un quelconque accident, qui pouvait s'être produit 20 ou 30 ans auparavant. Ils pensaient qu'il *devait* y avoir une cause, car ils étaient persuadés que les maux de dos étaient dus à une blessure ou à une anomalie structurale. Il était clair qu'il n'y avait aucun lien entre ces lointains événements et l'apparition de la douleur.

On peut voir au tableau 1 que 40 p. 100 des patients affirment qu'un événement a marqué leur première attaque, mais une étude plus attentive de ces 100 cas ne montre aucune corrélation entre cet événement et l'importance – en durée ou en intensité – de la douleur. Certains patients dont la douleur est apparue peu à peu ont finalement beaucoup souffert, alors que pour d'autres, chez qui un accident était à l'origine de la douleur, celle-ci a finalement été assez faible.

TABLEAU 1

Les débuts du S.T.M. chez 100 patients

1.	Graduel (sans incident physique)	60 %
2.	Soudain (par suite d'un incident physique)	40 %
	a) accident ou blessure	18 %
	b) effort: lever, tirer, pousser	8 %
	c) se tourner ou se pencher	10 %
	d) autres	4 %

On ne peut conclure logiquement qu'une seule chose: les incidents ne sont pas la cause du mal, ils n'en sont que les déclencheurs. Le S.T.M. existait sans doute depuis des mois ou des années, mais à un état atténué. Rendu à un point critique, il suffit d'une très faible aggravation du syndrome pour que la douleur apparaisse: c'est la goutte d'eau qui fait déborder le vase. Dans 40 p. 100 des cas, on associe l'apparition de la douleur à un incident physique, alors que dans les autres cas, la douleur ne semble venir de nulle part. Le fait que les attaques subséquentes ne soient déclenchées qu'occasionnellement par un accident confirme peut-être l'hypothèse du facteur déclencheur.

Par ailleurs, il est fort improbable que des maux de dos prolongés puissent être causés par des fractures, des déchirures, des entorses ou des foulures, puisque toutes ces blessures guérissent en quelques jours ou en quelques semaines. La douleur dure souvent beaucoup plus longtemps.

Il est important de bien évaluer le rôle des incidents physiques déclencheurs, parce que la cause de la douleur influence nécessairement son traitement. Mon expérience me montre que les patients convaincus d'avoir été blessés au dos continuent à souffrir. Si on pouvait leur faire comprendre que seule la tension est responsable et qu'ils n'ont pas à craindre l'activité physique, on résoudrait leur problème. Dès que les patients se rendent compte que la douleur n'est due ni à une blessure ni à une anomalie structurale de la colonne, ils font souvent le lien avec des facteurs d'ordre psychologique: un nouvel emploi, une ambiance tendue au travail, un membre de la famille qui est malade, des problèmes conjugaux, familiaux ou financiers, etc. Ils admettent alors être tendus ou consciencieux à l'excès, accepter trop de responsabilités ou s'inquiéter de tout. Certains reconnaissent avoir un caractère compulsif ou être perfectionniste. Évidemment, certains nient fermement toute influence de la tension dans leur cas. Quelques-uns s'entêtent: leur état ne s'améliorera pas. D'autres finissent peu à peu par accepter le diagnostic: leur état pourra alors s'améliorer.

Le S.T.M. et les muscles

Où ressent-on la douleur? Comme nous l'avons expliqué au chapitre précédent, le S.T.M. est causé par une baisse de l'apport sanguin dans les muscles et les nerfs du cou, des épaules, du dos et des fesses. On peut voir ces muscles à la figure 8. Cette figure montre aussi les deux régions les plus souvent douloureuses: la région lombaire et les fesses, et la région du cou, des épaules et du haut du dos.

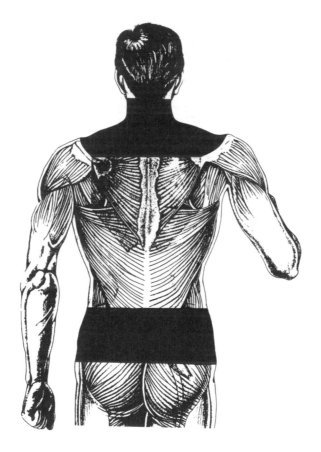

Figure 8.
Muscles posturaux du cou, des épaules et du dos. On y remarque les muscles les plus sujets au S.T.M.

Le tableau 2 indique les zones considérées par 100 patients comme les principales zones de la douleur. Le tableau 3 montre, pour les 100 mêmes patients, l'ensemble des régions douloureuses. Ces chiffres n'étonneront pas vraiment les personnes souffrant de douleurs au dos. Près des deux tiers des patients mentionnent les fesses comme principale région, y compris les côtés des fesses, qu'ils appellent souvent les hanches. Certains croyaient même avoir un problème à l'articulation de la hanche, et il faut souvent une radiographie pour les rassurer. Chez 28 p. 100 des patients, la zone douloureuse la plus importante se trouve dans le cou ou dans le haut des épaules ou du dos (souvent autour des omoplates), mais la douleur est souvent aussi présente ailleurs. On peut constater que la région «des reins» (région lombaire) n'est pas la plus souvent mentionnée, bien que le tiers des patients affirme y avoir mal.

TABLEAU 2

**Principales localisations de la douleur
chez 100 personnes souffrant du S.T.M.**

Fesses	60 %
Épaules	12 %
Cou	9 %
Région lombaire	8 %
Région thoracique	7 %
Autres	4 %

Un nombre important de patients affirme avoir mal des deux côtés des fesses et du bas du dos (61 p. 100), ou à la fois dans le haut et le bas du dos (44 p. 100). Ces chiffres nous montrent combien il est difficile d'attribuer la douleur à une hernie discale lombaire ou à un «nerf coincé» dans le cou, les deux diagnostics structuraux les plus fréquents. La plupart des problèmes structuraux ne causent de douleur qu'à un seul endroit et d'un seul côté du corps.

TABLEAU 3

Localisations de la douleur
chez 100 personnes souffrant du S.T.M.

Fesse gauche	67 %
Fesse droite	68 %
Région lombaire gauche	34 %
Région lombaire droite	36 %
Région lombaire centre	9 %
Région thoracique centre	2 %
Cou, à gauche	30 %
Cou, à droite	33 %
Épaule gauche	33 %
Épaule droite	36 %
Région thoracique gauche	15 %
Région thoracique droite	15 %
Le haut et le bas du dos	44 %
Le bas du dos, des deux côtés	61 %

Le torticolis, très courant, est causé par un S.T.M. dans les muscles du cou, mais il n'inquiète pas autant qu'un mal de dos. On le relie presque toujours à la tension.

En plus de montrer les diverses localisations de la douleur, les statistiques des tableaux 2 et 3 nous aident à comprendre que le S.T.M. est un *syndrome*, c'est-à-dire un ensemble de symptômes. Si la douleur implique plusieurs muscles posturaux, on dit que le patient souffre du syndrome de tension musculaire. Par contre, un patient qui souffrirait d'une anomalie structurale ressentirait des symptômes isolés. Il est absurde d'attribuer à des anomalies structurales des douleurs à plusieurs endroits en même temps.

Le S.T.M. et les nerfs

Quand le S.T.M. touche les nerfs, on ressentira de la douleur, le plus souvent dans les jambes, moins souvent dans les bras. C'est tout à fait logique: les muscles des fesses et du haut du dos sont les plus souvent touchés. Les nerfs ne semblent atteints que parce qu'ils traversent ces muscles ou passent près d'eux. L'anatomie de ces régions du corps a déjà été expliquée au chapitre 3: on y a parlé du nerf sciatique, dans la fesse, ainsi que des nerfs rachidiens et du plexus brachial dans la région du cou et des épaules.

Dans les cas de S.T.M, la douleur ressentie dans les bras et dans les jambes est ce qui fait le plus peur. On pense que des problèmes structuraux ont touché des nerfs, et cela évoque l'image de conséquences futures encore plus graves. Les patients savent aussi qu'on recommande souvent la chirurgie dans ces cas. Cela ne peut qu'augmenter l'anxiété, et par conséquent la douleur.

Il peut cependant arriver qu'une douleur à la jambe soit effectivement due à un problème des nerfs rachidiens lombaires ou sciatiques. Elle peut se manifester dans toute la jambe et de manières très diverses. Une personne pourra, par exemple, avoir mal seulement à la cuisse ou seulement au pied, alors qu'une autre aura des douleurs au mollet. La douleur peut aussi s'étendre à la jambe entière. On peut dire la même chose à propos des bras. Le type de douleur peut aussi varier: il peut s'agir d'élancements, de sensations de brûlures ou d'impressions plus diffuses. Le plus souvent, un seul membre est atteint, mais il se peut que les deux soient touchés, ensemble ou l'un après l'autre.

La douleur varie beaucoup dans le temps, ce qui aide à diagnostiquer un S.T.M. Comme elle est due à la tension, et que cette dernière varie de jour en jour –

même d'heure en heure, chez certains – les symptômes varient de même. Si, comme on le croit souvent, c'était une anomalie structurale qui causait la douleur, on s'attendrait à ce que l'intensité de la douleur reste constante.

À part la douleur, d'autres symptômes peuvent être amenés par une baisse de l'apport en oxygène. Il s'agit le plus souvent d'engourdissements ou de picotements, qui peuvent inquiéter la personne et donc empirer le problème. Parfois, le réflexe déclenché par un coup au genou ou à la cheville sera affaibli ou disparaîtra. Il s'agit alors d'un cas plus grave, mais pas encore alarmant. Il peut même arriver, dans les cas les plus graves mais néanmoins assez rares, que la jambe ou le bras perde une partie de sa force.

L'examen cherche aussi à déceler des dommages aux nerfs. En plus de tester les réflexes et la force des bras et des jambes, on évalue la qualité de la transmission des stimuli sensoriels vers le cerveau en piquant la peau. Dans les cas de S.T.M., il arrive souvent que la sensibilité diminue un peu.

Souvent, quand un nerf de la région de l'épaule et du cou est atteint, on ressent de la douleur près de l'articulation de l'épaule, avec une perte de mobilité. On croit souvent qu'il s'agit d'une bursite. De même, une douleur à la poitrine ou à l'abdomen peut être causée par une irritation des nerfs rachidiens du haut et du milieu du dos, toujours à cause d'un S.T.M. Tous ces symptômes peuvent être éliminés par le traitement du S.T.M., d'où l'importance d'un bon diagnostic.

Muscles sensibles à la pression

L'expérience de douleurs spontanées aux muscles posturaux et aux membres est elle-même une preuve que le S.T.M. cause la plupart des maux de dos. Mais on a aussi découvert que le syndrome atteint beaucoup plus de muscles que ceux qui font spontanément mal. Lors de l'étude statistique de 1978, pour cerner les caractéristiques du S.T.M., on a décidé de tester la sensibilité à la pression de tous les muscles posturaux. Auparavant, on ne le faisait que chez les patients se plaignant de douleurs. On a découvert deux choses: d'abord, un grand nombre de muscles posturaux sont douloureux à la pression, bien que le patient ne ressente rien normalement; ensuite, on retrouve une certaine organisation-type des muscles atteints (voir le tableau 4). On remarque que 71 p. 100 des patients sont sensibles à la pression à la fois du côté droit du cou, sur l'épaule droite et à la fesse droite, quelle que soit la zone la plus douloureuse. J'en ai conclu que la tension peut toucher tous les muscles posturaux, mais que certains y sont plus sujets que d'autres (voir la figure 8). Sans doute faut-il comprendre que les muscles les plus touchés sont les plus importants. Remarquez le grand nombre de personnes chez qui les muscles fessiers sont

TABLEAU 4

**Muscles douloureux au toucher
chez 100 personnes souffrant du S.T.M.**

Cou, à gauche	67 %
Cou à droite	83 %
Épaule gauche	72 %
Épaule droite	83 %
Fesse gauche	77 %
Fesse droite	78 %
Région thoracique gauche	12 %
Région thoracique droite	13 %
Région lombaire gauche	45 %
Région lombaire droite	46 %
Les deux fesses	76 %
À la fois le cou, l'épaule droite et le fessier droit	71 %

sensibles: 77 p. 100 pour le gauche et 78 P. 100 pour le droit. Les fessiers sont très importants, ils tiennent le tronc droit. Les muscles du cou servent à tenir la tête droite au-dessus du tronc. Ceux du haut des épaules servent à stabiliser les bras, de manière à les rendre fonctionnels. S'ils travaillent mal, les bras seront beaucoup moins utilisables. Le fait que ce soit surtout le côté droit qui est atteint dépend de ce que nous sommes majoritairement droitiers.

La sensibilité au toucher est un phénomène extrêmement important. C'est la «marque de commerce» du S.T.M. et la seule preuve objective d'un changement physiologique dans les muscles. On comprend maintenant le «point déclencheur»* dont les médecins parlent depuis des années: il s'agit du centre d'une plus grande zone de douleurs musculaires causées par la baisse de l'apport sanguin.

L'expérience a montré que seuls les muscles posturaux et leurs nerfs sont atteints par le S.T.M.; les muscles des jambes et des bras ne sont pas touchés de la même manière. Ceci est un fait d'observation clinique, tout comme on a également observé que l'estomac et le côlon sont des organes particulièrement sensibles à la tension. On n'a pas à en connaître les raisons. On pourrait par contre se demander si ce n'est pas le travail qu'effectuent ces muscles qui les rend plus sujets au S.T.M. Puisque ce sont eux qui tiennent le tronc, la tête et les bras, ils doivent travailler toute la journée; ils sont peut-être plus souvent fatigués que les muscles des bras et des jambes.

Les symptômes du syndrome de tension musculaire

Les douleurs provoquées par le S.T.M. sont très variables, mais ne sont dues qu'à trois choses: spasme

---

* En anglais: *trigger point*

musculaire, accumulation de déchets organiques et irritation des nerfs. Une attaque se caractérise par une douleur vive et cuisante, due à un spasme musculaire soudain. La douleur est si intense que les gens croient que quelque chose de catastrophique est arrivé à leur colonne vertébrale. Ils disent que «leur dos s'est cassé» ou que «quelque chose a craqué». Il serait en fait fort improbable qu'un problème structural soit aussi douloureux qu'un spasme aigu. La souffrance peut durer des jours, des semaines ou des mois; cela dépend de la conduite du malade.

L'accumulation de déchets organiques provoque une douleur plus sourde, d'intensité variable, qui dure aussi longtemps que la circulation sanguine est ralentie. La douleur aux nerfs peut s'exprimer comme un élancement, une sensation de brûlure ou une sensation plus diffuse. Les douleurs musculaires ne sont dues qu'à la baisse de l'apport sanguin; on a seulement l'impression que les muscles sont enflammés ou infectés. Par exemple, cette sensibilité fait qu'on a mal aux fesses quand on s'assoit. Tant la contraction des muscles – et c'est par contraction que les muscles travaillent – que leur extension sont douloureuses. Beaucoup de patients se plaignent qu'ils souffrent davantage quand ils restent debout sans bouger: c'est un cas de contraction sans mouvement. Se pencher en pliant la taille ou lever une jambe tendue alors que l'on est couché provoquent l'extension des muscles atteints, donc de la douleur. Ces mouvements illustrent le principe qui dit que l'extension d'un nerf atteint par le S.T.M. – dans ce cas-ci le nerf sciatique – cause de la douleur.

Des patients mentionnent souvent que la chaleur humide (compresse, douche ou bain chauds) atténue et peut même dissiper la douleur pendant quelque temps. Cela renforce l'hypothèse selon laquelle un ralentissement de la circulation sanguine cause le S.T.M.: la chaleur accélère la circulation. Mais la douleur revient

91

toujours, parce que c'est le cerveau qui dirige le processus, et on ne peut rien y changer en agissant localement. À l'opposé, le froid empire habituellement la douleur en ralentissant encore plus la circulation.

L'exercice améliore aussi la circulation, mais son effet dépend de l'attitude du patient. Quelqu'un qui a appris à craindre l'exercice n'en retirera aucun bienfait. On en revient toujours au degré de tension: la peur l'augmente, et on a déjà vu que les personnes atteintes du S.T.M. ont appris à avoir peur de bien des choses. Certains mouvements ou certaines activités physiques déclenchent ou augmentent automatiquement la douleur. Il suffit parfois de *penser* à une activité pour avoir mal.

Portrait d'un syndrome

Il n'existe pas de cas typique de mal de dos, mais un certain profil se dessine. La caractéristique qui revient le plus souvent est sans doute la récurrence de la douleur. Si quelqu'un a souffert d'un mal au cou, aux épaules ou au dos, celui-ci reviendra, mais pas nécessairement au même endroit ou de la même manière, quel qu'ait été le traitement suivi. Cela est vrai même dans les cas de chirurgie, où le répit peut être d'un an ou deux. On entend rarement parler de quelqu'un qui a été opéré et dont le mal de dos ne revient pas. Dans la majorité des cas, la douleur persiste; elle peut même empirer.

Au commencement, les crises sont souvent espacées. La deuxième peut arriver cinq ou dix ans après la première. Puis elles deviennent de plus en plus fréquentes, surtout si un accident a eu lieu, ce qui laisse croire au patient que son dos a été sérieusement atteint. Elles durent ensuite plus longtemps et les remèdes usuels (un jour au lit, une aspirine, des douches chaudes) ne font plus effet. On peut en arriver au point où le mal de dos est permanent. De plus, les patients se plaignent souvent de malaises à l'extrémité de la colonne vertébrale.

Ces douleurs chroniques se manifestent de plusieurs manières. Certaines personnes vont très mal durant les premières heures de la journée, puis «ça se tasse». D'autres se portent assez bien le matin, mais leur état empire au fur et à mesure que la journée avance. Quoi qu'il en soit, ils ont tous une liste de choses qui leur sont interdites. Même si leur douleur est devenue chronique, la plupart des gens vivent dans la terreur de nouvelles attaques, souvent très douloureuses, à cause des spasmes musculaires, et pouvant amener des déformations du tronc (incapacité de se redresser ou inclinaison permanente sur le côté), ce qui les handicape sérieusement.

Ces phénomènes de récurrence et de chronicité ne sont pas reliés qu'à la personnalité et à la tension. Parce qu'on a dit aux patients qu'ils avaient un problème structural, ils vivent dans la peur permanente d'une nouvelle attaque et évitent toute activité pouvant empirer leur état. Tout ceci engendre plus de tension, ce qui contribue à entretenir le processus. Les mauvais diagnostics et leurs conséquences empirent la situation: il faut donc rééduquer le patient aussi bien que le médecin.

Il arrive souvent que les patients souffrent de douleurs localisées ailleurs dans les jambes et les bras, sans que celles-ci soient d'origine nerveuse. On doit les mentionner puisqu'elles ne sont habituellement pas reliées aux maux de dos et qu'on les considère souvent comme dues à une inflammation. Les plus communes sont diverses formes de tendinites, dont la plus connue est l'épicondylite (tennis elbow). La douleur se manifeste au point où un important tendon s'attache à une protubérance osseuse du coude. On remarque aussi de nombreuses tendinites au genou et à la cheville, touchant particulièrement le tendon d'Achille.

J'ai remarqué que ces douleurs disparaissent lors du traitement contre le S.T.M. Bien que le mécanisme reste obscur, cela arrive si souvent que je crois qu'il existe un lien entre ces malaises et le S.T.M.

On peut aussi se demander à quel âge ce syndrome est plus répandu. À l'été 1982, afin de mieux me documenter pour ce livre, j'entrepris un suivi pour vérifier les résultats de mon programme de traitement. Pour ce suivi, nous avons rencontré 177 patients; les détails seront donnés au chapitre suivant. Pour le moment, concentrons-nous sur la distribution selon l'âge de ce groupe, représentatif des patients que j'ai traités au fil des ans.

Sur le diagramme de la figure 9, on peut voir que 77 p. 100 des patients sont dans les groupes d'âge de 30 à 59 ans. Remarquez que moins de personnes sont dans la

Figure 9

Distribution selon l'âge de 177 patients rejoints lors d'un suivi

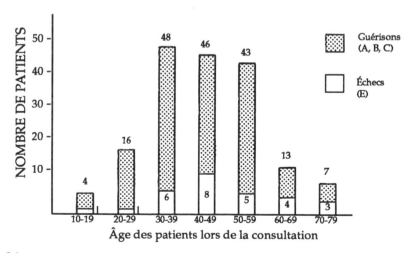

94

soixantaine que dans la vingtaine! Étant donné qu'on pense que la dégénérescence est responsable de la majorité des maux de dos – dégénérescence des disques ou bien arthrose –, il est vraiment étrange de ne retrouver que 13 patients entre 60 et 69 ans et 7 septuagénaires. Une étude publiée dans une revue médicale canadienne confirme cette distribution selon l'âge[1]. Les auteurs rapportent que, parmi 2 200 personnes souffrant de maux de dos, 60 p. 100 étaient âgées de 30 à 50 ans; 25 p. 100 avaient plus de 50 ans et 15 p. 100, moins de 30.

Ces données confirment que la plupart des maux de dos n'ont rien à voir avec la dégénérescence. Celle-ci est progressive et implacable: on le voit bien si on regarde des radiographies prises chez quelqu'un à divers âges. Si l'on en croit le diagnostic usuel, nous devrions tous avoir mal au dos à 60 ans.

Ces statistiques n'aident pas seulement à infirmer les diagnostics structuraux traditionnels; ils aident aussi à déterminer le bon. C'est sans aucun doute entre 30 et 60 ans que nos vies sont les plus mouvementées. On peut évidemment être très occupé entre 10 et 30 ans, mais ces occupations sont moins sérieuses. L'acquisition de responsabilités constitue un changement très important et très stressant. Les gens qui, par nature, ne s'inquiètent pas beaucoup de leurs responsabilités subiront moins de tension ou de maladie psycho-somatique, mais ils sont rares. Nous possédons pour la plupart des traits du caractère S.T.M.

Bien que plus fréquent entre 30 et 60 ans, le S.T.M. frappe tout le monde, peu importe l'âge. J'ai eu des patients qui étaient octogénaires à sa première manifestation, et j'ai de bonnes raisons de croire que les enfants aussi sont touchés. Mais, comme pour beaucoup de maladies, son apparence diffère selon l'âge. La partie suivante éclairera ce point.

Le S.T.M. chez les enfants

Après avoir été reçu médecin, j'ai été médecin de famille durant neuf ans. Je recevais alors souvent la visite d'enfants amenés par leur mère à cause de douleurs mystérieuses, habituellement aux jambes, parfois très importantes. Je n'en trouvais jamais la cause et j'étais forcé de me rabattre sur le diagnostic éprouvé de «douleurs de croissance». Il semble que personne n'en ait trouvé la cause.

Une nuit, ma petite fille s'est réveillée en pleurant, à cause d'une douleur à un mollet. J'ai rassuré ma fille et ma femme: il s'agissait sans doute de «douleurs de croissance». Comme je restais au chevet de l'enfant en attendant que la douleur cesse, j'ai pensé que ce pourrait bien être une sciatique. Un examen a révélé une sensibilité des fesses au toucher. J'en ai conclu qu'il s'agissait sans doute d'une sciatique, manifestation d'un S.T.M. aigu.

On oublie souvent que les enfants subissent des tensions comme les adultes, et qu'elles se manifestent fréquemment la nuit. On fait des cauchemars à tout âge; ils sont l'expression des peurs et des inquiétudes récentes ou plus anciennes. Il serait sans doute correct de dire qu'une attaque nocturne de S.T.M., chez un enfant, est un peu comme un cauchemar. Muni de ce savoir, j'ai soigné ma fille comme grand-maman l'aurait fait, en la rassurant et en la réconfortant. Seul élément moderne: un massage de la fesse.

Nous sommes des êtres psychologiques de notre naissance à notre mort. Nous ressentons des émotions tout au long de notre vie et nous pouvons y réagir physiquement. Les distributions selon l'âge confirment que c'est la tension qui provoque les maux au cou, aux épaules et au dos.

Un phénomène intéressant montre bien le lien entre la tension et le S.T.M. Dans les cas importants, que l'on soigne habituellement à l'hôpital, on observe une relation directe entre la tension consciente et l'intensité de la douleur. Le jour où un patient se *sent* particulièrement tendu, il a moins mal. Si, au contraire, le patient est calme, la douleur est habituellement plus grande. Cela montre que la tension exprimée sous forme d'émotion n'est pas redirigée vers les muscles et que la douleur remplace les émotions refoulées. J'ai observé ces faits de nombreuses fois. Comme le dit Mme C., «Mon psychologue et moi avons discuté hier de choses très désagréables, de choses dont j'ai horreur de parler. À la fin de la séance, je me suis rendu compte que je n'avais plus mal.»

C'est pour cette raison que j'apprends à mes patients à penser à leur mal en *termes psychologiques,* pour que la tension cesse d'engendrer une *réaction physique,* et qu'elle se manifeste plutôt comme une émotion – ce qu'elle est – et non plus dans le dos – qui n'est pas sa place et où elle se cache, pour ainsi dire.

La sagesse de la nature

La nature montre sa sagesse de bien des manières, dont les plus impressionnantes comprennent les mécanismes complexes de guérison que possèdent tous les êtres vivants. Les progrès de la médecine moderne nous ont fait perdre de vue ce fait fondamental. Les médecins sont tellement absorbés par leurs propres efforts de recherches et de traitements qu'ils en oublient l'efficacité de certains processus naturels. En conséquence, ceux-ci ne font pas partie de leur approche thérapeutique.

Le S.T.M. et les autres maladies psychosomatiques en sont de bons exemples. Grâce au S.T.M., j'ai appris que les humains ont une grande capacité d'autoguérison.

On doit cependant reconnaître et libérer ce pouvoir. Le travail d'un médecin devrait être de permettre au patient de se rendre compte de ses possibilités naturelles et de les utiliser. Je crois que mes patients se guérissent eux-mêmes dès qu'ils ont reçu une information adéquate. Selon moi, c'est la meilleure médecine: libérer la possibilité innée qu'ont les gens de guérir.

Référence

1. ROBINSON, G.E. «A Combined Approach to a Medical Problem: The Canadian Back Education Unit», *Canadian Journal of Psychiatry*, vol. 25 (1980), p. 138.

Chapitre 5

Le traitement du S.T.M.

Le traitement du S.T.M. découle de deux choses: mes observations du résultat des méthodes traditionnelles de traitement et ma découverte de ce pourquoi les patients réagissaient différemment les uns des autres.

J'ai toujours expliqué à mes patients ce dont ils souffraient, jusque dans les moindres détails. Quand j'ai commencé à identifier des S.T.M., je trouvais les explications encore plus importantes à cause du caractère inusité de ce désordre et de mon désir d'assurer au patient que son dos ne comportait aucune anomalie structurale grave. Je me suis peu à peu rendu compte que l'état des patients qui *acceptaient* mon diagnostic s'améliorait, alors que l'état de ceux selon qui la tension n'avait certainement rien à voir avec leur douleur s'améliorait peu ou pas du tout. Ce phénomène est singulier: comment le fait de connaître et d'accepter ce diagnostic peut-il contribuer au traitement?

Au chapitre 3, j'ai émis l'idée que les malaises psychosomatiques, tels que les ulcères, les migraines et le S.T.M., sont une tentative inconsciente d'éliminer une tension excessive tout en niant son existence. Un tel artifice est nécessaire parce qu'une manifestation évidente de tension est inadmissible, tant pour l'individu que pour la société. Inconsciemment, nous

101

n'aimons pas être vus comme nerveux ou poltrons. J'ai aussi émis l'idée que si les ulcères à l'estomac sont maintenant de moins en moins fréquents, c'est que tout le monde sait qu'ils ne sont dus qu'à la tension: le secret est éventé et ils deviennent un exutoire moins efficace.

Quand je me suis rendu compte que le syndrome disparaissait quand on en connaissait les détails et la cause, j'en ai conclu que cela devait marcher comme pour les ulcères. Si les gens savent que leur mal de dos n'est dû qu'à la tension, et non à une anomalie structurale, la douleur cesse.

À quoi est dû ce phénomène singulier? Est-ce parce que le patient est devenu conscient de la vraie nature de son problème, auparavant enfoui dans l'inconscient? Quoi qu'il en soit, le fait de savoir ce qui se passe empêche le système neurovégétatif de transmettre l'ordre de contraction des vaisseaux sanguins et donc de causer des douleurs dans les muscles et les nerfs.

D'après moi, quand le patient connaît la cause et la nature de ses symptômes, la réaction psychosomatique peut être interrompue. J'ai moi-même vécu, il y a quelques années, une expérience analogue. Quand j'ai commencé à pratiquer la médecine, je souffrais régulièrement de migraines. C'était un cas classique: 15 minutes avant que la migraine ne commence, ma vue s'embrouillait. Un jour, un ami psychiatre m'a fait part d'une théorie selon laquelle les migraines sont dues à de la colère refoulée, et que je devrais y penser la prochaine fois que ma vue s'embrouillerait. J'ai suivi son conseil. À mon grand étonnement, je n'ai pas eu de migraine. Depuis, je n'en ai jamais plus souffert, bien que ma vue se trouble de temps à autre. Cette anecdote illustre bien la manière dont une activité cognitive peut agir sur une réaction psychosomatique.

Quand quelqu'un apprend qu'il souffre du S.T.M., il

pense habituellement qu'il doit éliminer ou réduire la tension pour se débarrasser de la douleur. Cela semble logique, et il ne fait pas de doute qu'une réduction significative de la tension éliminerait la douleur. Mais il peut être difficile, voire impossible, de réduire son niveau de tension, parce que celle-ci est due principalement au caractère. Elle peut aussi être causée par des circonstances contre lesquelles on ne peut rien. On ne peut pas démissionner tout simplement d'un emploi stressant. Et qu'est-ce que vous feriez avec un enfant malade, ou un enfant à problèmes? La tension est partout.

Certaines personnes se proposent d'éliminer leur tension de diverses manières, telles que la méditation, le yoga, les exercices de relaxation ou aérobiques. Mais mon expérience me montre que ces techniques ne réduisent pas suffisamment la tension pour arrêter un S.T.M. Plusieurs de mes patients avaient essayé ces méthodes avant que je ne les traite, sans diminution significative de la douleur.

On peut penser encore à une autre possibilité. Si le mal de dos s'en va, la tension trouvera peut-être un autre exutoire et causera ainsi d'autres problèmes physiques, tel un ulcère. Cela ne s'est heureusement jamais produit, bien qu'il arrive souvent, avec d'autres traitements, que des symptômes soient remplacés par d'autres: c'est ce qu'on appelle la substitution des symptômes.

Nous voici donc devant une étrange situation: la tension n'est pas atténuée par des changements de caractère ni de circonstances, ni par la relaxation ni par un transfert vers une autre partie du corps. Comment donc la douleur s'en va-t-elle? Considérons une situation analogue. Les personnes souffrant d'une peur irrationnelle (phobie), due à une grande anxiété, voient leur phobie disparaître lorsqu'elles en découvrent la vraie source. Par exemple, une femme s'était soudain mise à avoir une peur maladive de prendre le métro, bien qu'elle l'ait fait toute sa vie. C'est avec un psycho-thérapeute qu'elle s'est rappelée avoir lu, la dernière fois qu'elle avait pris le métro, un journal dont les gros titres annonçaient l'histoire d'une mère ayant blessé son bébé. Cette nouvelle avait visiblement fait resurgir un ancien sentiment de culpabilité, engendrant une grande anxiété qui s'est manifestée en phobie du métro. La discussion avec le psychothérapeute a ramené la culpabilité à de justes proportions. L'anxiété a diminué et la phobie a disparu.

Il suffit que la personne soit confrontée au fait que la tension peut engendrer des maux de dos pour que la tension diminue, et conséquemment la douleur aussi. L'assurance que celle-ci n'est pas causée par une quelconque anomalie structurale diminue encore plus la tension.

On peut aussi voir les choses ainsi: puisque la tension se déguise en symptômes physiques, la situation cesse quand la supercherie est mise au jour. En d'autres termes, dès que l'on prend conscience que la tension est à la source de la douleur, le processus perd sa raison d'être.

Ce ne sont que des spéculations, des tentatives d'explication d'un phénomène observé. On ne saura pas ce qu'il advient de la tension avant d'en connaître davantage sur le fonctionnement du cerveau. Mais il est clair que si le cerveau peut provoquer des réactions indésirables comme le S.T.M., la pensée et la réflexion peuvent les éliminer. Si ce n'était pas le cas, je n'aurais pas pu traiter le S.T.M. Pourtant j'ai observé que la compréhension et l'acceptation du diagnostic sont à l'origine de la guérison de la majorité des cas.

Avant de poursuivre en présentant les programmes de

traitement du S.T.M., regardons de plus près d'autres cas de l'influence du psychisme sur le corps.

Un des événements médicaux les plus célèbres des dernières années a été relaté dans le livre *La volonté de guérir* de l'écrivain bien connu Norman Cousins[1]. Alors qu'il souffrait d'une grave maladie, qui avait érodé la plupart de ses articulations (spondylarthrite ankylosante), il a finalement conclu que son caractère devait jouer un rôle actif dans son traitement. Il s'est rendu compte que des émotions négatives avaient été un facteur important dans l'apparition de sa maladie et que, par conséquent, des émotions positives devaient avoir une place dans son traitement. Avec l'aide de son médecin de famille et à la suite de ses propres conclusions, il a mis au point un programme de traitement. Le résultat fut un revirement complet: lentement et progressivement, son état commença à s'améliorer. M. Cousins admet que la médecine actuelle ne peut pas expliquer sa guérison, sûrement accomplie par le pouvoir de son esprit. La communauté médicale accepte généralement cette conclusion. Selon moi, c'est parce que M. Cousins s'est rendu compte du rôle des émotions dans sa maladie que son corps a pu la chasser. Je crois que c'est la *conscience* de ce rôle et la conviction qu'il pouvait faire quelque chose qui se sont avérées les facteurs cruciaux dans sa guérison. Il s'agit de beaucoup plus que d'un effet placebo. Ce dernier repose sur une confiance aveugle, alors que celle de M. Cousins ne l'était pas: il croyait en la capacité de son esprit à le guérir et savait qu'il devait jouer une rôle actif pour mobiliser ce potentiel.

C'est par effet placebo que quelqu'un qui souffre d'un mal de dos qu'il croit causé par une anomalie structurale peut voir un traitement améliorer son état. Par conséquent, on peut s'attendre à un retour des symptômes, ce qui est fréquent. Si, par ailleurs, le patient conclut que c'est la tension qui engendre son mal de dos, qu'il n'y a rien à craindre et qu'il ou elle peut contribuer à sa propre guérison, alors celle-ci sera permanente.

Le sorcier

Dans un article de Louis C. Whiton, ingénieur et explorateur, paru dans *Natural History*, j'ai trouvé un autre excellent exemple de l'interaction de l'esprit et du corps[2]. Le Dr Whiton a mené pendant plusieurs années des études anthropologiques au Surinam, en Amérique du Sud. Il s'intéressait particulièrement aux cérémonies, aux rites et aux guérisons accomplis par les sorciers-guérisseurs d'une tribu de la région. Il souffrait depuis deux ans de douleurs à la jambe et à la hanche droites, attribuées à une bursite au trochanter et réfractaires à tout traitement. Il a donc voulu tenter sa chance auprès d'un de ces sorciers et il a visité un certain Raineh. Le Dr Whiton était accompagné par son médecin personnel, cinq amis et le rédacteur en chef d'un journal du Surinam. Le lieu du traitement était à 60 kilomètres de Paramaribo, dans la forêt. La cérémonie qu'il a décrite en détail a commencé à minuit et a duré jusqu'à 4 h 30 du matin. Elle comportait plusieurs étapes: protection du patient contre les mauvais esprits, interrogation de son âme sur sa vie passée, appel des divinités locales bienfaisantes et exorcisme de l'esprit malfaisant hors du corps du malade pour le mettre dans celui du sorcier. Après quoi, le Dr Whiton s'est levé et s'est aperçu que son mal avait disparu. D'autres rites ont permis d'exorciser le sorcier-guérisseur et de transférer le mauvais esprit dans un poulet, qui est mort. La cérémonie s'est terminée par des incantations visant à empêcher le même esprit de réintégrer le corps du Dr Whiton.

De cela on doit conclure que le Dr Whiton ne souffrait sans doute pas de bursite au trochanter, mais plutôt d'un syndrome de tension musculaire. Si c'est le cas, n'importe quel traitement suffisamment impressionnant aurait pu réussir. Le sorcier avait l'air imposant, très sérieux, sûr de lui. Il l'a visiblement touché et saisi. Plus important encore, l'écrivain croyait en la capacité de l'esprit de guérir le corps; la cérémonie du sorcier n'a fait que lui fournir une occasion de réaliser cette conviction.

L'influence de l'esprit sur le système immunitaire

On soupçonne depuis longtemps que des facteurs psychologiques peuvent modifier le fonctionnement du système immunitaire, influençant ainsi la réaction aux infections, aux allergies, aux cancers et à d'autres agents nocifs. Un article important, paru dans l'édition d'avril 1982 de la revue *Science*, relate une expérience où on a implanté des tumeurs cancéreuses à des rats qu'on a ensuite divisés en trois groupes[3]. Ceux du premier groupe recevaient des chocs électriques, sans possibilité de les éviter; ceux du deuxième groupe pouvaient éviter les chocs, alors que ceux du troisième groupe ne recevaient pas de chocs. Les chercheurs ont observé que seulement 27 % des rats du premier groupe ont résorbé la tumeur, alors que ce pourcentage s'établit à 63 chez ceux qui pouvaient éviter les chocs et à 54 chez ceux qui ne recevaient aucun choc. Ils concluent ainsi: «Ces résultats impliquent qu'un manque de contrôle sur des facteurs de stress réduit les possibilités de rejet des tumeurs et de survie.» Si les émotions affectent le système immunitaire des rats, elles ont sûrement le même effet chez les humains. On tient peut-être là l'explication de plusieurs guérisons du cancer jusqu'ici inexplicables.

On a présenté ici quelques-unes des preuves que la littérature, tant médicale que générale, donne un pouvoir de guérison à l'esprit. La préface du livre de Norman Cousins, *La volonté de guérir*, a été écrite par le regretté Dr René Dubos, chercheur médical renommé, qui a contribué à certaines des découvertes médicales les plus fondamentales de ce siècle. Vers la fin de sa vie, le Dr Dubos aurait dit: «J'ai une très grande certitude que presque tout le corps est dirigé par l'esprit, que l'esprit est beaucoup plus important que quoi que ce soit d'autre[4].»

Sans que j'aie voulu m'inscrire sous quelque philosophie que ce soit, mon expérience du diagnostic et du traitement du S.T.M. m'a amené à des idées semblables à celles du Dr Dubos. L'observation de mes patients m'a appris que, s'ils pouvaient se défaire des idées fausses et des peurs engendrées par le diagnostic et le traitement traditionnels du mal de dos, leur état s'améliorerait et resterait bon. C'est un exemple clair de résistance biologique, de la capacité qu'a l'esprit de créer les conditions dans lesquelles le corps peut guérir, grâce à une information juste. C'est le point central de mon traitement, la pierre angulaire de ce qu'on appelle la thérapie cognitive.

La thérapie cognitive

J'ai déjà mentionné que le placebo avait un effet dans l'inconscient, qu'il dépendait d'une «confiance aveugle». J'ai pour ma part découvert que la confiance dans une notion peut avoir un effet thérapeutique puissant et durable *si elle se fonde sur une information juste*. Quand on apprend aux patients ce qu'est le syndrome de tension musculaire, ils peuvent se fier à ce diagnostic, qui leur dit quelque chose. Ils ont une confiance *consciente*. D'une certaine manière, mes patients deviennent mes partenaires dans le diagnostic. Je leur dis: «Voici comment ça marche. Êtes-vous d'accord?» J'ai découvert que l'état des patients capables de répondre *oui* à cette question s'améliorait de manière permanente. Je crois que la croyance consciente est intériorisée, qu'elle agit dans l'inconscient, et que la douleur disparaît peu à peu. Cela peut se passer très

108

vite, en quelques jours. J'en ai conclu que l'acceptation d'une idée dans l'inconscient est semblable à l'effet placebo, à la différence près que l'effet semble permanent quand la croyance repose sur un fondement rationnel. Avec le temps, c'est devenu si évident et si efficace que j'ai finalement organisé une série de cours pour m'assurer que les patients aient la possibilité de se renseigner sur le S.T.M. J'invitais chaque patient à quatre heures de conférences et de discussions. Puis l'invitation est devenue une prescription.

Il peut paraître très étrange de soigner des gens en les invitant à une conférence où on leur enseigne la nature de leur maladie. Nous sommes habitués à aller chez le médecin, à être examinés, à nous faire dire ce que nous avons et à recevoir une prescription. Nous ne sommes que les bénéficiaires passifs du traitement administré par le médecin omniscient; notre participation se limite à suivre les instructions. C'est à cause des médecins que cette attitude est généralisée dans la société occidentale. Elle découle normalement de la non-reconnaissance du potentiel d'autoguérison que nous avons.

La guérison du S.T.M. est l'affaire d'un patient actif, bien informé et confiant. Il n'y a ni formule magique, ni pilule miracle, ni incantation, ni exercice rituel, ni astuce technologique. Il suffit que les gens sachent ce dont ils souffrent, ce dont ils ne souffrent pas, et qu'ils ont au-dedans d'eux-mêmes la capacité de renverser le processus. On pourrait dire que le gros du travail du médecin est de changer l'attitude des patients. Il s'agit là d'un défi de premier ordre pour la profession médicale, qui a besoin d'une modification complète de sa propre attitude avant de pouvoir changer celle des autres.

L'histoire qui suit montre l'importance décisive de l'attitude du patient. Il s'agit d'une femme mariée de trente-cinq ans qui souffrait de maux au bas du dos et aux jambes depuis plusieurs mois. Elle avait rencontré les spécialistes habituels. Peu avant qu'elle ne me rencontre, on lui avait conseillé la chirurgie. Elle est venue me voir à la suggestion d'un parent médecin qui espérait pouvoir lui éviter l'opération.

Tant son dossier que l'examen ont montré les symptômes classiques du S.T.M.: sensibilité à la pression de presque tous les muscles posturaux, des deux côtés, du cou aux fesses. Je lui ai dit que ce devait être la cause de la douleur et que sa hernie discale n'était que fortuite. Quand elle a quitté mon bureau, elle n'était visiblement pas convaincue, mais elle a décidé de suivre mon programme: elle a commencé la physiothérapie et comptait assister aux cours. Ses doutes ont persisté durant les deux semaines entre sa visite et les conférences, et sa douleur n'a pas changé. Il est important de mentionner qu'elle demeurait en dehors de New York et qu'elle ne pouvait pas y venir pour les traitements. Je lui ai conseillé un physiothérapeute de sa localité qui avait été formé à l'*Institute of Rehabilitation Medicine* du *New York University Medical Center*. J'ai discuté avec lui du diagnostic en espérant que ses traitements seraient utiles malgré sa faible expérience du S.T.M., mais il m'a dit plus tard qu'il avait douté lui aussi de l'exactitude du diagnostic. Il a tout de même assisté avec la patiente aux conférences, et il semble que les preuves que j'y ai données les aient convaincus tous deux. Désormais confiants, ils se sont remis au travail, et la douleur a disparu en quelques semaines. Cette femme s'est ensuite remise au tennis et ses douleurs ne sont pas revenues.

Il est clair que tant qu'elle doutait du diagnostic, elle ne pouvait pas amener ses pouvoirs intérieurs à régler son problème. Elle pensait que sa douleur était causée par une anomalie structurale grave que seule une intervention extérieure pouvait corriger. Quand elle a

110

compris qu'il s'agissait du S.T.M., qu'elle a perdu sa peur d'une anomalie structurale et a pris confiance dans sa capacité de participer au traitement, elle a rapidement récupéré.

C'est par essais et erreurs que j'ai établi ce qu'on devait enseigner aux gens pour faire naître la confiance nécessaire à l'élimination du S.T.M. Je commence dans mon bureau, lors de la consultation, et cela continue sous forme de conférences et de discussions, puis lors de la physiothérapie. Pour un bon résultat, il est important que le physiothérapeute soit bien préparé pour répondre aux questions lors du traitement. Beaucoup de patients sont très craintifs au début; on leur a dit que leur dos était fragile et ils ont souvent souffert d'attaques soudaines et douloureuses, maintes fois associées à des mouvements ou à des blessures. Un physiothérapeute bien informé peut faire renaître petit à petit la confiance du patient en lui assurant qu'il n'y a aucun problème structural et en lui rappelant la raison de la douleur qu'il ressent à un moment donné.

Il y a certains traitements de physiothérapie que l'on prescrit toujours à cause de leur pertinence locale. On utilise des appareils réchauffant les muscles et les nerfs douloureux, ce qui améliore la circulation en ouvrant les vaisseaux sanguins. Les massages et les exercices ont le même effet. On prescrit habituellement les trois. Ces mesures diminuent ou éliminent la douleur, parfois pour plusieurs heures. Cela peut aider à convaincre les patients de la pertinence de ce qui a été dit lors des conférences. On met l'accent sur le fait que ces traitements ne pourraient pas soulager la douleur due à une anomalie structurale, comme une hernie discale.

Le mauvais côté de la physiothérapie est que certains patients se mettent à penser que la solution du S.T.M. réside dans des mesures physiques, surtout les exercices. Cela concerne principalement les gens peu

111

disposés à admettre que c'est la tension qui cause tout cela et qui croient que le renforcement des muscles et les exercices réguliers vont les préserver de la douleur. Parmi ces personnes, on retrouve ceux qui ont une ferveur presque religieuse envers les exercices. Il s'agit surtout d'hommes. Bien que je croie que l'exercice soit très important, il faut tout de même en reconnaître les limites. Il ne préserve pas du S.T.M. ni ne l'élimine. J'ai déjà mentionné que la physiothérapie exerce un effet placebo sur certains patients, d'où un soulagement toujours temporaire.

On utilise très communément l'exercice physique pour soigner les maux de dos, mais son utilité véritable est très mal comprise. Dans notre traitement, les physiothérapeutes l'utilisent pour augmenter la circulation locale, pour étirer les muscles contractés et pour améliorer le bien-être physique. Le renforcement des muscles abdominaux et du dos ne diminue pas le S.T.M., mais redonne confiance en son corps. Beaucoup de patients ont besoin de quelqu'un pour les aider lors des semaines où la douleur se résorbe; le physiothérapeute tient ce rôle à merveille. Il peut encourager, rassurer, conseiller et expliquer. Pendant le traitement, les patients retombent souvent dans l'habitude d'attribuer la douleur à certains mouvements ou positions. Le physiothérapeute peut corriger cette attitude, consolider le savoir acquis et ainsi contribuer à la guérison.

Alors que la douleur s'atténue, on recommande toujours de faire du sport. Pour certains, c'est la reprise d'anciennes activités, comme la course à pied, le vélo ou le tennis. On doit encourager les autres à entreprendre de nouvelles activités. Les exercices aérobiques sont importants pour tout le monde, non seulement parce qu'ils ont un bon effet sur le système cardiovasculaire et le bien-être général, mais aussi parce qu'ils constituent un excellent moyen de brûler un excès de tension. On conseille aux personnes âgées la marche à bon pas ou la natation. Le physiothérapeute a aussi le rôle d'aider le patient à choisir et à entreprendre ces nouvelles activités.

Les physiothérapeutes enseignent souvent des techniques de relaxation, mais je n'accorde pas une très grande valeur à ces techniques, tout comme je mets en garde mes patients pour qu'ils ne donnent pas une trop grande importance aux exercices. Ce ne sont que des à-côtés. La meilleure manière de soigner le S.T.M. passe par la connaissance, la prise de conscience et l'acceptation du diagnostic.

Mais comment enseigner la prise de conscience et l'acceptation? Le dernier mot fait penser aux prédicateurs exhortant leur auditoire à renoncer au péché pour suivre le droit chemin. C'est cet élément qui tracasse et ennuie les patients et les médecins, surtout ces derniers, qui le considèrent comme non scientifique. La plupart des médecins réduisent la science à la méthode scientifique, qui se fonde surtout sur l'expérimentation. C'est la méthode scientifique qui a permis l'essor de la physique, de la chimie et de la biologie modernes. Mais la science est plus que cela. Dans la nature, certaines choses résistent à la méthode scientifique, et il faut alors faire des déductions à partir des données disponibles pour en arriver à une théorie. Benjamin Franklin a écrit: «Il ne nous est pas si important de savoir la manière par laquelle la nature ouit ses lois, Il nous suffit de savoir lesdites lois[5].» On exposera vers la fin de ce chapitre un suivi qui montre que la majorité de nos patients est complètement guérie. Comme l'acceptation du diagnostic est l'aspect fondamental du traitement, il est logique de supposer que c'est l'élément clé de la guérison.

L'acceptation dépend de la capacité qu'a le médecin de convaincre le patient que le S.T.M. est une explication

113

logique, plus logique que les diagnostics structuraux émis par d'autres médecins. On consacre beaucoup de temps à donner des informations physiologiques et psychologiques sur le syndrome. Mais la logique appartient au niveau conscient et rationnel de l'esprit. On doit aussi satisfaire son niveau inconscient, lieu des émotions. C'est là que l'on retrouve la crainte, l'intimidation, l'impuissance et le sentiment d'être une victime, qui caractérisent les personnes souffrant depuis longtemps d'un mal de dos.

L'idée que la maladie est causée par des forces tout à fait hors de son contrôle est certainement très répandue. Quand on a mal, on se demande d'abord pourquoi et on s'inquiète de l'importance de la douleur. Les personnes naturellement anxieuses songent tout de suite au cancer ou à une autre maladie grave. Mais le pire est de se sentir une victime impuissante. Comme on ne sait habituellement pas pourquoi on souffre ni ce qu'on peut faire, ce sont là des sentiments normaux. Ironiquement, la pensée médicale moderne a renforcé ces sentiments par inadvertance, parce qu'elle considère que la maladie est un désordre de la «machine corporelle», et que le rôle de la médecine est de la réparer. Nous attendons que celle-ci nous délivre des affres de la maladie, dont nous nous sentons les victimes impuissantes. Il est regrettable que la médecine pense d'une manière structuro-mécaniste. Les malades se croient les jouets du destin. On ne leur a pas appris que la nature nous a donné des mécanismes d'autoguérison et qu'il suffit de savoir les activer.

Je regardais l'autre jour une cicatrice se former sur une de mes mains et je réfléchissais aux voies incroyables de la nature: une simple écorchure déclenche tout un processus de guérison, avec ses réactions chimiques et physiques qui reconstituent peu à peu la peau. Et tout ceci se fait sans qu'on ait à y penser. Je m'étonnais devant les forces à l'œuvre et je m'émerveillais des possibilités d'auto-entretien inscrites dans chaque être vivant. Ces pouvoirs fonctionnent si on leur en laisse la chance. La vie moderne nous a fait perdre cela de vue. Nous ne connaissons pas cette puissante force qui nous habite. On nous a appris à attendre le «salut» de la médecine, de la technique médicale moderne, qui peut résoudre tous les problèmes et qui éliminera un jour toutes les maladies.

Notre programme de traitement permet d'utiliser nos pouvoirs d'autoguérison. Comme les patients apprennent que la douleur est causée par un désordre musculaire bénin dû à la tension, ils prennent conscience de leur pouvoir de changer les choses. Le corps peut alors se guérir. En enlevant la peur, la confusion et le sentiment d'être une victime, si caractéristiques du S.T.M., on donne au corps la chance de faire ce qu'il a à faire.

La tension est un phénomène psychologique. Si elle peut rendre les muscles douloureux, on peut penser qu'un autre phénomène du même ordre, comme d'apprendre la vérité sur ce qui se passe, peut y mettre fin.

Ce ne sont bien sûr que des spéculations. Notre connaissance de la physiologie du cerveau est très sommaire, et il peut couler beaucoup d'eau sous les ponts avant qu'on en découvre tous les secrets. D'ici là, contentons-nous de bien connaître les lois qui gouvernent le mal de dos et d'aider les gens à utiliser ce savoir pour régler leurs problèmes.

Et les médicaments? On a déjà traité de ce sujet au deuxième chapitre et on a vu qu'ils sont communément utilisés dans les traitements traditionnels. Pour traiter le S.T.M., on utilise parfois des médicaments de deux types: les analgésiques et les tranquillisants. Jamais dans le but de soigner, mais plutôt pour calmer la douleur ou l'anxiété pendant le traitement du problème fondamental. Leur usage est limité aux patients souffrant de symptômes très prononcés. D'ailleurs, selon moi, ni les analgésiques courants ni les tranquillisants ne peuvent enrayer complètement la douleur ou l'anxiété. C'est pourquoi j'utilise souvent des analgésiques puissants et même des narcotiques.

Une expérience du Dr H. K. Beecher, chercheur célèbre dans le domaine de la douleur, est bien connue des milieux médicaux[6]. Lors de la Deuxième Guerre mondiale, en divers endroits en Europe, il a questionné 215 soldats grièvement blessés sur leur besoin en morphine peu après leur blessure. Il a trouvé que 75 p. 100 d'entre eux souffraient si peu qu'ils ont refusé les injections. Remarquant qu'une émotion violente peut arrêter le processus de la douleur, le Dr Beecher spéculait: «À cet égard, on doit se rappeler la situation du soldat: sa blessure lui permet de quitter un milieu caractérisé par un très grand danger, l'épuisement, l'inconfort, l'anxiété, la peur et un risque réel de mort, et lui donne accès à la sécurité d'un hôpital. Ses ennuis sont finis, du moins le pense-t-il.»

Ceci suggère que l'état émotionnel du patient influence énormément l'intensité de sa douleur et sa tolérance face à elle. Si le malade est apeuré, déprimé, en colère ou frustré, la douleur sera plus grande; de même, s'il ne comprend pas la cause de sa douleur ou s'il est inquiet quant à son origine. Par contre, s'il est joyeux, comme certains des soldats vus par le Dr Beecher, ou n'est pas inquiet de la raison de son mal, la douleur sera beaucoup plus supportable.

Selon moi, les analgésiques améliorent plus l'état d'esprit du patient qu'ils n'enlèvent la douleur. En d'autres termes, ce sont des tranquillisants très efficaces, rendant la douleur supportable sans l'éliminer. Ceux à qui on vient de donner de la morphine le disent: «J'ai encore mal, mais ça ne me fait plus rien.» Si c'est vrai, on peut dire que les narcotiques, c'est-à-dire les meilleurs analgésiques, sont en fait des tranquillisants très puissants. C'est pourquoi on les utilise en cas de douleur et c'est sans doute pourquoi tant de personnes en sont dépendantes. Ce sont les meilleurs produits pour «bien se sentir», qu'on souffre ou non d'une douleur.

J'ai souvent dit que si je pouvais me procurer légalement de l'héroïne, comme les médecins britanniques, je l'utiliserais dans les cas de douleurs extrêmes, parce que je crois qu'elle est plus efficace que n'importe quel médicament autorisé. Cela choque, parce qu'on associe très fortement l'héroïne à la toxicomanie. Mais on peut abuser de toutes les drogues. C'est parce que l'héroïne est très efficace qu'on en abuse si souvent.

Ces observations m'ont été très utiles dans les cas graves de maux de dos chroniques. Elles m'ont permis d'utiliser les meilleurs médicaments disponibles sans craindre la dépendance. Quand on souffre d'une douleur intense, on peut tolérer une dose de morphine qui provoquerait un coma chez une personne saine. C'est sans aucun doute parce qu'une douleur intense engendre une anxiété intense; c'est l'anxiété et non la douleur que la drogue calme.

À part les analgésiques, et parfois les tranquillisants, je n'utilise aucun médicament dans le traitement du S.T.M. En fait, même si l'industrie pharmaceutique mettait au point un médicament efficace et spécifique au S.T.M., je ne m'en servirais pas. Qu'il agisse sur les muscles ou sur l'anxiété, il ne soignerait pas le désordre. Il endormirait le patient dans une fausse sécurité et lui enlèverait toute motivation d'aller au fond du problème. La douleur disparaîtrait et les patients en seraient enchantés. Mais dès que le traitement serait interrompu, la douleur reviendrait. Ce remède miracle irait alors à l'encontre des intérêts de la personne en nuisant à son apprentissage.

En dernière analyse, le traitement du S.T.M. est d'abord de la médecine préventive. Une guérison durable passe par la compréhension du problème et de son fonctionnement et par la confiance que cette compréhension arrangera les choses. Aucun médicament ne peut faire cela. Nous avons postulé qu'une guérison réelle devait être permanente, et nos suivis montrent que c'est le cas. Dans les quelques situations où la douleur revient, c'est que le patient n'a pas abandonné ses anciennes idées, soit parce qu'il n'a jamais accepté le diagnostic de S.T.M., soit parce que sa tension est tellement élevée que d'autres mesures s'imposent pour la diminuer. Heureusement, on trouve peu de patients qui se classent dans l'une ou l'autre de ces catégories. S'il s'agit d'un patient qui refuse le diagnostic mais qui désire toujours se faire traiter, on peut envisager d'autres consultations ou conférences. Dans les deux cas, une psychothérapie pourrait être utile.

Le recours à la psychothérapie n'est pas un déshonneur, bien qu'il soit entouré de tabous, surtout pour les personnes plus âgées. Des attitudes qui datent de l'enfance persistent souvent à l'âge adulte. Elles peuvent être tout à fait inconscientes jusqu'à ce que les circonstances les fassent réapparaître. Par exemple, le travail manuel peut engendrer un sentiment d'infériorité, d'où beaucoup de tension, ce qui peut conduire à un S.T.M. On doit prendre conscience de ses problèmes, parce que cette action diminue habituellement la tension et, par conséquent, la douleur.

Les gens nous demandent souvent dans combien de temps la douleur va disparaître. Mon expérience montre que de quatre à huit semaines s'écoulent habituellement entre le diagnostic et la guérison complète – parfois plus, parfois moins. Je trouve ce délai remarquablement court, surtout pour ceux qui ont mal au dos depuis des années. Notre suivi auprès de 177 patients a révélé que les symptômes étaient présents depuis en moyenne 8 ans, et parfois depuis plus de 15 ans. Or tous les cas sont guéris en quelques semaines. On ne peut pas expliquer avec certitude cette rapidité, mais je soupçonne que les patients n'avaient besoin que de comprendre et d'accepter le diagnostic de S.T.M., pas de changer leur caractère ou leur vie.

D'un autre côté, s'il suffit de comprendre et d'accepter, pourquoi cela peut-il prendre huit semaines? Certains patients trouvent le diagnostic logique et l'acceptent tout de suite. Mais accepter consciemment n'est pas suffisant pour qu'un travail s'accomplisse dans l'inconscient. Celui-ci intègre plus lentement les idées nouvelles, et on doit y travailler en se les représentant clairement: les doutes doivent êtres balayés. Dans ce but, les conférences-discussions sont très utiles: les participants y obtiennent des réponses à leurs questions. Des personnes partagent souvent leur expérience et leurs réflexions pour renforcer un point. C'est pendant cette période de quatre à huit semaines que les idées nouvelles envahissent peu à peu l'inconscient, source du S.T.M., et que la douleur disparaît peu à peu.

Même si les symptômes disparaissent en quelques semaines, certaines personnes ont besoin de quelques mois avant que tout soit sous contrôle. C'est à cause de facteurs psychologiques qu'il serait trop long d'exposer ici. Ces patients semblent guérir tout à fait en quatre à huit semaines, mais se remettent à avoir mal quelques semaines ou quelques mois plus tard, souvent lors d'une situation émotionnellement tendue. Il est alors de première importance de les interroger sur ce qu'ils croient être la cause de cette douleur. Pensent-ils qu'il s'agit encore du S.T.M.? Admettent-ils que la tension a causé le retour de la douleur? Parce que les symptômes sont différents, l'attribuent-ils à une anomalie structurale? Quand la localisation de la douleur change, les patients sont très tentés de penser à des problèmes structuraux, et on doit leur montrer qu'il ne s'agit que d'une autre manifestation du S.T.M.

Je me souviens d'un homme qui avait très bien réagi au traitement et s'était remis à courir après avoir souffert pendant des années au dos et aux jambes. Quelques mois plus tard, il a eu mal à un genou, et même s'il disait être tout à fait convaincu que ses anciennes douleurs étaient dues au S.T.M., il s'inquiétait de ce nouveau symptôme. Je l'ai examiné, nous avons discuté et décidé qu'il devrait continuer à courir. Sa douleur est finalement disparue. Peu après, il a eu des spasmes au dos, mais ils étaient clairement reliés à des événements chargés d'émotions et ils n'ont pas persisté. Chaque fois, il croyait davantage à l'idée du S.T.M. et se rendait mieux compte de sa très grande tendance à exprimer physiquement sa tension. J'ai suivi son cas de près: il continuait à avoir souvent mal dans le bas du dos, mais cela ne l'empêchait pas de courir plusieurs kilomètres par semaine. Il menait une vie tout à fait normale.

Quand un patient se rétablit complètement en quelques jours, je soupçonne l'effet placebo. Ça ne va pas du tout: il s'agit d'un effet temporaire, alors que nous désirons une guérison permanente. Seules les personnes dont le mal a été de durée et d'intensité faibles peuvent espérer guérir en quelques jours.

Le traitement du S.T.M. présenté dans ce livre n'a pas de meilleur avocat que ses résultats. Les chiffres qui suivent montreront que la plupart des patients ont connu la guérison.

À l'été 1982, au cours d'une enquête téléphonique, on a interrogé 177 patients sur les suites de leur traitement.

Ils ont été choisis par un assistant de recherche et ma secrétaire, à partir de mon carnet de rendez-vous et d'une liste des patients dirigés vers un certain physiothérapeute. On voulait ainsi comparer les résultats d'un physiothérapeute en particulier à ceux d'un ensemble aléatoire de physiothérapeutes. On n'a trouvé aucune différence.

Chez tous ces patients, j'avais diagnostiqué un S.T.M. Ils avaient tous reçu auparavant des diagnostics structuraux, dont les plus fréquents étaient la hernie discale, l'ostéo-arthrite lombaire, une maladie des disques intervertébraux cervicaux (du cou) et l'ostéo-arthrite cervicale. On leur a tous appris ce qu'était le S.T.M. La plupart ont assisté aux conférences, bien que certains aient été traités avant leur mise sur pied. La plupart ont reçu des traitements de physiothérapie.

La distribution d'âge s'étendait de 15 à 77 ans, et 79 p. 100 des sujets avaient entre 30 et 59 ans. Le groupe comptait 95 hommes et 82 femmes. Leur mal de dos datait de 1 mois à 42 ans, avec une médiane de 5 ans et une moyenne de 8 ans. Ces chiffres montrent qu'il ne s'agissait pas de problèmes récents et sans importance. La douleur était profondément enracinée et aucun traitement ne l'avait éliminée de manière durable.

Pour montrer que la guérison était durable, on n'a pas considéré les sujets dont le traitement s'était terminé moins d'un an avant l'enquête. Le temps écoulé entre la fin des traitements et l'enquête s'étendait de 12 à 42 mois.

Les chiffres parlent par eux-mêmes (voir la figure 10). En tout, 76 p. 100 des patients ont vu leur état s'améliorer énormément; 62 p. 100 ont vu toute douleur disparaître (groupe A) et 14 p. 100 (groupe B) souffrent encore de maux peu intenses et passagers, qui n'empêchent aucune activité physique. Les 14 patients du groupe C ont vu leur état s'améliorer à divers degrés, alors que le traitement de seulement 28 patients (16 p. 100) a été un échec (groupe E). On a posé plus de questions à ces derniers: la plupart n'acceptaient pas le diagnostic de S.T.M. Ce groupe comptait plus que sa part de personnes âgées de 60 à 77 ans. Les personnes traitées avec succès menaient une vie normale, sans limitation d'ordre physique. La plupart pratiquaient des exercices aérobiques ou des sports comme le tennis, la course à pied ou le ski.

Figure 10

**Suivi
12 à 42 mois après le traitement
177 patients**

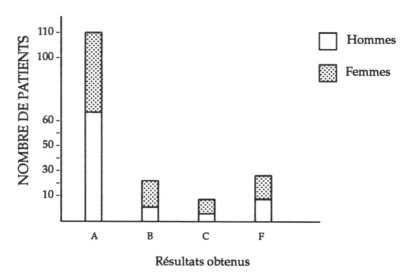

Résultats obtenus

La douleur chronique

Ce livre veut aussi traiter du problème causé par *la douleur chronique*. Aux États-Unis, de nombreuses personnes sont incapables d'avoir un emploi ou de tenir maison à cause de ce problème. Elles vivent d'indemnités d'accidents du travail, d'assurances ou de l'assistance sociale. L'appareil médical n'a rien pu faire contre ces douleurs rebelles à tout traitement et limitant les activités. Plusieurs de ces personnes ont subi une ou plusieurs interventions chirurgicales ou ont reçu une foule d'autres traitements. Bien que la majorité ait été traitée avec soin et respect, on a accusé certains de simuler la maladie, ou d'être affligés d'une maladie mentale, et on les a considérés irrécupérables.

Une des principales solutions proposées par la médecine a été la mise sur pied de «centres de la douleur» à la grandeur des États-Unis, principalement dans les hôpitaux universitaires et publics. Ces centres réunissent diverses disciplines médicales et para-médicales qui emploient autant les méthodes physiques que les méthodes psychologiques. Le principe de base de la plupart d'entre eux veut que la douleur soit une maladie à part entière. On croit qu'une anomalie structurale en est la cause, et que les patients qu'elle handicape ont inconsciemment appris à en tirer profit. Ce peut être un profit pécuniaire, une fuite de l'esclavage du travail, ou l'attention de ses parents et amis. En accord avec les principes de la psychologie behavioriste, on veut aider les patients à se défaire de ces habitudes pour acquérir une attitude plus saine envers la douleur.

Je pense que cette approche est vouée à l'échec, pour les deux raisons suivantes:

1. On croit que la douleur a une cause structurale sous-jacente;

2. et qu'elle est maintenue et aggravée par un désir inconscient d'un «bénéfice secondaire».

Mon désaccord avec ces deux idées se base sur mon expérience avec des personnes souffrant de maux de dos chroniques. Mon équipe et moi menons depuis 1974 un programme de soins pour ces personnes à l'*Institute of Rehabilitation Medicine*. Voici nos conclusions:

1. Il n'y a, dans la majorité des cas, aucune anomalie structurale sous-jacente. La plupart de ces gens souffrent de S.T.M., problème physique et non structural, comme j'ai tenté de le montrer dans ce livre.

2. Ce n'est pas le «bénéfice secondaire» mais bien l'anxiété, la dépression et les conflits psychologiques, qui causent la douleur. Le «bénéfice secondaire» existe indubitablement mais son importance est faible et on ne doit pas fonder le traitement sur cette seule notion.

Mon expérience avec un grand nombre de personnes souffrant du S.T.M., du plus faible au plus grave, me porte à dire que cette notion de «douleur comportementale» est dégradante et, à long terme, destructrice. Elle porte les patients à penser qu'«ils l'ont voulue», bien qu'inconsciemment. J'ai entendu des patients exprimer ces sentiments avec beaucoup d'amertume et de tristesse. De fait, ils réagissent souvent ainsi au diagnostic de syndrome de tension musculaire, et on doit tout de suite les rassurer qu'il ne s'agit pas du tout d'un désir caché de souffrir. Comme ces personnes sont consciencieuses à l'excès et se sentent coupables d'avance, la pensée qu'elles sont responsables de leur mal ne fait qu'augmenter leur anxiété.

La notion de douleur comportementale devient encore moins convaincante quand on voit comment le système médical crée et renforce l'idée que le dos des malades est fragile et abîmé. Le patient pense: «Puisque j'ai reçu les meilleurs traitements disponibles et que rien ne s'est amélioré, je dois vraiment aller très mal.» En même temps, le système engendre une grande peur. Je me souviens d'une femme qui s'est affolée quand elle a lu,

124

dans un livre réputé traitant du dos, que si on a un début de hernie discale et qu'on reprend trop tôt ses activités, la hernie deviendra complète et nécessitera une opération. Un médecin avait dit à une autre patiente, après que celle-ci eut refusé de subir une opération: «Vous allez revenir dans deux semaines en hurlant de douleur et en me demandant à genoux de vous opérer.» Ce sont deux exemples parmi tant d'autres de la manière dont le système médical entretient le problème du S.T.M. en terrorisant ses patients. Ce sont l'anxiété et la peur qui entretiennent le mal de dos, pas un «bénéfice secondaire».

Selon moi, la notion behavioriste du mal de dos chronique repose sur l'ignorance de la psychologie et de la physiologie de ces syndromes. J'ai peur que les effets négatifs de cette théorie prennent plusieurs années à s'estomper.

L'*Institute of Rehabilitation Medicine* s'occupe aussi de patients hospitalisés. On emploie alors les mêmes techniques que pour les consultations externes, mais de manière plus soutenue. On traite trois ou quatre personnes à la fois, de manière à développer entre elles une camaraderie et à leur donner l'occasion de partager leur expérience, d'approfondir leurs connaissances et de se fournir un support mutuel. Tous les jours, je passe d'abord une heure à enseigner ce qu'est le S.T.M. et à rencontrer les patients un à un pour discuter de problèmes individuels. Ils suivent ensuite une psychothérapie individuelle ou de groupe. Puis ils passent à des séances de physiothérapie ou d'ergothérapie, individuelles ou de groupe, pour améliorer la mobilité et la flexibilité, pour accroître la circulation sanguine locale et, d'une manière générale, pour faire renaître la confiance en leur corps. Pour ceux qui en ont besoin, des services sociaux et d'orientation professionnelle sont disponibles.

On discute de la douleur de manière ouverte et libre, pour que les gens arrivent à la voir comme une manifestation de la tension. On les encourage à «penser psychologique». Ils apprennent ainsi à relier un accroissement de la douleur à des phénomènes psychologiques plutôt que physiologiques.

On administre des médicaments au besoin, mais, contrairement à la pratique behavioriste, les patients participent à cette décision. Quand la douleur diminue, ils cessent habituellement leur médication de manière spontanée. S'ils veulent des médicaments alors que la douleur s'est affaiblie, c'est qu'ils en sont devenus psychologiquement dépendants. On doit donc s'occuper de ce problème en psychothérapie.

L'histoire d'un cas

L'histoire suivante montre bien ce qui arrive à un patient hospitalisé. Il s'agit d'une femme de 44 ans, qui avait mal au dos depuis l'âge de 25 ans. Huit ans avant que je la voie, sa jambe gauche s'engourdit, et elle subit une opération au dos un an plus tard. La douleur ne diminua pas. Un an plus tard, une autre opération, sans résultat, suivie, après 13 mois, d'une fusion vertébrale, en vain. La malade était presque invalide. Deux ans avant sa visite chez moi, on lui passa une scanographie. On ne lui trouva aucune anomalie structurale; la douleur devait être due à un «tissu cicatriciel», et elle aurait sans doute à l'endurer toute sa vie. Puis, petit à petit, elle s'est mise à se droguer.

On peut voir l'importance de son handicap quand on sait qu'elle avait une formation de pianiste et de professeure de piano, mais qu'elle était incapable de jouer ou d'enseigner parce qu'elle ne pouvait plus s'asseoir. Elle était mariée et mère de deux enfants adoptés. La plupart des tâches domestiques lui étaient inaccessibles. Ces limitations empoisonnaient ses

126

relations avec son mari et ses enfants. Pour éviter de rester couchée chez elle toute la journée, elle avait pris un emploi dans une banque. Quand je l'ai rencontrée, elle souffrait d'une douleur continue dans le bas du dos et dans la fesse gauche, aggravée d'abord par l'activité mais aussi par les positions assise et debout. Habituellement, la douleur empirait au fur et à mesure que la journée passait.

L'examen ne montra rien d'anormal, sauf l'absence de réflexe tendineux à la cheville gauche, une faiblesse apparente de la jambe gauche et la sensibilité à la pression des muscles du cou, des épaules, du bas du dos et des fesses, pour les deux côtés. Les données du dossier médical et de l'examen étaient typiques du S.T.M. Une connaissance plus approfondie de cette femme nous a révélé des traits de personnalité caractéristiques du S.T.M. Elle était compulsive, perfectionniste et encline à négliger ses besoins au profit de ceux des autres, surtout ceux de sa famille. Elle doutait beaucoup d'elle-même, même si elle était intelligente et talentueuse. On ressentait clairement une colère retenue.

Elle a entrepris le traitement bien à sa manière, avec énergie et enthousiasme. C'est après qu'elle eut appris que son mal n'avait aucune cause structurale qu'elle a pu se concentrer sur la psychothérapie. Elle s'est mise peu à peu à admettre ses sentiments réprimés et à comprendre la signification de divers aspects de son caractère. Ces démarches ont entraîné des transformations étonnantes: elle a recouvré toute sa mobilité, la douleur a diminué peu à peu, et, la sixième semaine, elle a arrêté d'elle-même l'usage de narcotiques, sans aucun effet secondaire. À sa sortie de l'hôpital, la douleur avait presque entièrement disparu. On peut aisément imaginer ses réactions à cette expérience. Mais laissons-lui la parole:

«Les dix semaines passées à l'*Institute of Rehabilitation Medicine* ont été pour le moins étonnantes. Grâce à une psychothérapie et à un traitement médical intensifs, grâce aussi au Dr Sarno, qui m'a réhabilitée, l'avenir ne m'apparaît plus bouché, sans alternative. Je suis plutôt au cœur de l'action, je fonctionne à pleine capacité, sans médicaments, et je me sens devant un grand choix d'autoroutes, aucune d'entre elles ne menant à un cul-de-sac! J'ai repris ma carrière musicale: j'enseigne le piano et j'accompagne, ce qui m'était impossible auparavant. Ma famille aime m'entendre rire, et j'ai découvert que je ne l'avais pas fait depuis des années. En fait, je ne suis pas la seule à avoir profité de mon séjour à l'institut, il suffit de voir mon mari et mes deux enfants adolescents pour s'en convaincre.»

J'ai évidemment choisi ce cas à cause de la rapidité et de la qualité de la guérison. Ça ne va pas toujours aussi bien. Beaucoup ressentent encore de la douleur lors de leur sortie, et on doit continuer la physiothérapie et la psychothérapie en clinique externe. Il y a aussi des échecs. Mais, en général, les résultats sont bons. J'ai publié en 1976, dans le *Scandinavian Journal of Rehabilitation Medicine*, un article présentant le résultat du traitement de mes 28 premiers patients. Parmi eux, 68 p. 100 ont quitté l'hôpital sans douleur ou dans un état suffisamment bon pour permettre une vie normale. Un suivi à long terme a révélé que 64 p. 100 sont restés dans les mêmes catégories. On a constaté une légère amélioration chez 21 p. 100, alors que l'état de 11 p. 100 est resté stable[7].

Dans ce chapitre, j'ai essayé de transmettre les principes et les techniques qui ont amené nos résultats. Il est difficile de les rendre clairs, puisqu'il s'agit d'un sujet abstrait et auquel nous ne sommes pas habitués de penser.

Pour diagnostiquer et traiter le S.T.M., on doit comprendre le principe fondamental selon lequel le corps et l'esprit sont indissociables. C'est ainsi que l'étude de la physiologie et des maladies est incomplète si on néglige le rôle des facteurs psychologiques. De même, l'étude de la maladie mentale doit tenir compte de l'influence du corps sur l'esprit. Si on néglige ce principe, on s'expose à des erreurs de diagnostic et de traitement. Les maux de dos en sont un bon exemple, mais ne sont aucunement uniques.

Selon moi, la méthode par laquelle nous diagnostiquons et traitons le S.T.M. est une bonne application des pouvoirs d'autoguérison de chacun. Il n'y a là rien de magique: c'est aussi scientifique que l'usage approprié des antibiotiques, car la science comprend tout ce qui est vrai dans la nature. Nous devons apprendre à reconnaître les vérités de la nature même si nous ne les comprenons pas: l'esprit humain est peut-être incapable de les comprendre toutes. Nous avons besoin d'une juste combinaison d'humilité, d'imagination, d'obéissance à la vérité et, par-dessus tout, de confiance en la sagesse éternelle de la nature.

Références

1. COUSINS, Norman. *La volonté de guérir*, Paris, Éditions du Seuil, 1980.

2. WHITON, L.C. «Under the Power of the Gran Gadu», *Natural History*, vol. 80, n° 7 (août-sept. 1971).

3. VISINTAINER, M.A., J.R. VOLPICELLI et M.E.P. SELIGMAN. «Tumor Rejection in Rats After Inescapable or Escapable Shock», *Science*, vol. 216 (1982), p. 437.

4. FREESE, A.S. «Dubos at 80», *Modern Maturity* (août-sept. 1981).

5. BOWEN, C.D. *The Most Dangerous Man in America*, Boston, Little, Brown and Company, 1974.

6. BEECHER, H.K. «Pain in Men Wounded in Battle», *Annals of Surgery*, vol. 123 (1946), p. 96.

7. SARNO, J.E. «Chronic Back Pain and Psychic Conflict», *Scandinavian Journal of Rehabilitation Medicine*, vol. 8 (1976), p. 143.

Addendum

Je me sens obligé, à la fin de ce livre, d'ajouter un mot pour situer dans la médecine actuelle mon expérience sur les maux de dos. De quelle sorte de médecine s'agit-il?

Il n'y a sans doute aucun autre syndrome traité d'autant de manières différentes et par des praticiens si divers. Même si cette idée peut être dure à admettre, la communauté médicale doit en assumer la responsabilité, à cause de son approche trop restreinte du problème. Elle a été piégée par une manière ancienne de faire le diagnostic et, ce qui est fort étonnant, a accepté aveuglément l'idée que les maux de dos sont dus à des anomalies structurales, d'où l'incapacité de les traiter efficacement, ce qui a poussé les gens à chercher l'aide de non-médecins.

Mon diagnostic et mon traitement sont-ils un exemple de médecine holiste? Ceux qui pratiquent cette médecine disent avoir comme philosophie de considérer et de traiter l'humain dans sa totalité, de tenir compte de ses aspects physiques et émotionnels. Mais sir William Osler, célèbre médecin britannique du XIXe siècle, parfois appelé le père de la médecine moderne, a souvent mentionné l'importance des facteurs émotionnels dans le cas des maladies physiques. Cependant, beaucoup de chercheurs du XXe siècle, obnubilés par leur appareillage, semblent avoir oublié les enseignements de leurs prédécesseurs et voient le diagnostic ot le traitement des maladies comme si l'humain était une machine complexe et comme si la connaissance de la physique et de la chimie du corps était suffisante pour résoudre tous les problèmes médicaux. En plus, ces chercheurs tendent à séparer les phénomènes physiques des phénomènes psychologiques, comme s'ils n'étaient pas reliés. L'épidémie de maux de dos montre bien ce qui peut se passer dans cette situation.

Il est alors inévitable que des médecins veuillent rétablir la situation. D'où le mouvement holiste. Malheureusement, l'approche de la maladie de certains propagateurs de la médecine holiste n'est pas du tout objective et les problèmes ne sont pas mieux résolus. Selon moi, ce mouvement n'est pas nécessaire. Tous les médecins devraient pratiquer une médecine holiste, c'est-à-dire reconnaître le lien entre l'esprit et le corps. Négliger ce lien montre un préjugé qui n'a pas sa place dans la science.

Je ne suis pas un médecin holiste. Mes conclusions sont basées sur l'observation et l'expérience. Bien que la cause du S.T.M. soit la tension, le diagnostic se fonde sur la physiologie et pas sur la psychologie, et s'inscrit dans la tradition de la médecine clinique. J'invite d'ailleurs mes confrères dont le travail s'inscrit dans une autre tradition, celle de la recherche médicale, à vérifier ou à corriger mes conclusions. Ils ne devraient pas s'en désintéresser: les maux de dos sont un problème trop important et une solution est urgente.

Postface

par
Daniel Moreau

Dans les pages qui suivent, je veux tout d'abord vous communiquer les modifications que le Dr Sarno a apportées au S.T.M. depuis la parution de la version originale de ce livre. Par la suite je vous ferai part de mes réflexions ainsi que de mes propres constatations cliniques.

Le traitement du S.T.M.

Si vous vous rappelez le cinquième chapitre, le traitement du Dr Sarno se résumait comme suit: une rencontre individuelle, des séances d'information de groupe et de la physiothérapie. Aujourd'hui, ce traitement est encore plus simple. Le volet «physiothérapie» a été abandonné parce que ces traitements entretiennent l'idée qu'une anomalie structurale causerait la douleur et que la solution résiderait dans des mesures physiques, surtout des exercices. Comme le Dr Sarno le dit clairement, «la meilleure manière de soigner le S.T.M. passe par la **connaissance**, la **prise de conscience** et l'**acceptation du diagnostic**». Les efforts sont donc maintenant essentiellement centrés sur ces dimensions.

En premier lieu, une consultation entre la personne touchée et le Dr Sarno permet à ce dernier de poser un diagnostic, d'informer son client et de l'inviter aux deux soirées d'information de groupe. Selon lui, environ 90 p. 100 des gens souffrant d'un S.T.M. acceptent le diagnostic et peuvent ainsi passer à la seconde étape.

Peu de temps après la première rencontre, les gens sont invités à deux soirées d'information qui ont lieu dans la même semaine: par exemple, les lundi et mercredi soirs. Ces soirées durent trois heures chacune. Une trentaine de patients y assistent. On leur suggère fortement de se faire accompagner de leur conjoint respectif. Leur présence est importante puisque eux aussi doivent comprendre ce qui se passe; de cette façon, ils peuvent fournir un meilleur support. À cause du nombre important de personnes qui consultent le Dr Sarno, des soirées d'information ont lieu aux 15 jours, et c'est lui-même qui agit comme animateur. Il considère qu'un interlocuteur **crédible** doit animer ces soirées, en l'occurrence un médecin.

La première rencontre de groupe est consacrée aux explications physiologiques: les diagnostics médicaux usuels, le processus du S.T.M. et les mythes s'y rattachant. En bref, on discute des trois premiers chapitres du livre. Des planches dont sont tirées les illustrations du livre sont utilisées pour permettre aux gens de mieux visualiser le phénomène. Ensuite il y a une période de questions et d'échanges entre les participants.

La deuxième soirée d'information permet d'éclairer les gens sur le rôle des facteurs psychologiques. Quels sont les liens entre la tension, l'anxiété et les symptômes physiques? Pour renforcer son exposé, le Dr Sarno utilise des témoignages écrits qu'il a reçus de clients soignés antérieurement. Voici un exemple d'une personne qui avait consulté le Dr Sarno pour la première fois en février 86; ses douleurs avaient disparu jusqu'au moment du nouvel épisode qu'elle relate:

«11 décembre 1986

«Cher Dʳ Sarno,

«Nous avons tous besoin d'être encouragés et c'est pourquoi je vous écris. Si vous vous rappelez bien, on s'est parlé récemment à propos d'une «blessure à la hanche» que je me suis infligée en pratiquant la course à pied. J'étais allé consulter un médecin orthopédiste qui avait alors diagnostiqué une bursite à la hanche. Les traitements habituels m'ont été prescrits: radiographies, injections, médicaments. Vous m'aviez alors grondé, à juste titre d'ailleurs, de ne pas vous avoir téléphoné et d'avoir privilégié cette solution. Lorsque je me suis enfin décidé à vous appeler, j'étais très souffrant. Cela faisait environ trois semaines que j'endurais cette douleur. Après avoir raccroché l'appareil téléphonique, j'ai réfléchi longuement à notre conversation; je me sentais mal et très en colère vis-à-vis de moi-même, surtout envers mon cerveau. Je lui ai dit ma façon de penser pour son mauvais tour. Eh bien, croyez-le ou non, en moins de deux minutes ma douleur était complètement disparue. Elle n'est pas réapparue depuis ce moment. Étonnant, n'est-ce pas? Ça s'est fait si vite !

«Je ferai comme vous me l'avez recommandé et je recommencerai ma course à pied tout en me souvenant que la cause fondamentale de ma douleur est l'anxiété générée par la peur de me faire mal. Vous ne savez pas jusqu'à quel point je vous suis reconnaissant. Jusqu'à présent, j'ai dû donner à des amis une bonne quinzaine d'exemplaires de votre livre.»

Une période d'échange et de questions fait aussi partie de la deuxième rencontre. Le groupe permet aux individus de sortir de leur isolement respectif.

Ces deux réunions consacrées au syndrome de tension musculaire constituent la fin du traitement pour 95 p. 100 des participants. Ces gens comprennent alors suffisamment le processus pour retrouver leur bien-être sans autre forme de support. Si certains participants ont besoin d'autres informations, ils sont invités à revenir à une autre série de soirées.

Environ 5 p. 100 des personnes souffrant du S.T.M. ont besoin de soins et de support psychologiques. À cet effet, une équipe de psychologues travaille en collaboration avec le Dr Sarno. Les rôles de chacun sont très bien définis: il y a vraiment séparation entre le corps et l'esprit. Quand une personne consulte un psychologue de l'équipe et qu'elle soulève certains doutes ou interrogations sur le diagnostic physique, elle est rencontrée par le Dr Sarno, qui lui réexplique minutieusement son cas pour éliminer toute ambiguïté. De cette manière, le client ne retombe pas dans le piège de l'anomalie structurale. Cette séparation des rôles est nécessaire, selon le Dr Sarno, à cause de la tendance des gens à vouloir rencontrer des spécialistes pour chaque matière.

Les résultats obtenus ces dernières années ont démontré que la simplification du traitement était justifiée: la physiothérapie n'est pas nécessaire dans la très grande majorité des cas. La connaissance approfondie du diagnostic et la compréhension du phénomène grâce à un interlocuteur crédible produisent des effets thérapeutiques puissants et durables.

L'apport de John Sarno

C'est le Dr Sarno qui le premier a identifié le syndrome

de tension musculaire. Il en a proposé une explication logique et simple à comprendre. Il a eu le mérite de reconnaître le rôle majeur des facteurs psychologiques dans le S.T.M. Le traitement qu'il propose pourrait avoir des répercussions importantes sur le monde médical et sur les soins actuellement prodigués aux gens souffrant de maux de dos. La simplicité de la cure permet de remettre entre les mains des gens la responsabilité de leur santé et de leur bien-être. Dans ce traitement, une information juste et adéquate est capitale; cependant, cela exige une humilité certaine face aux limites de nos connaissances médicales. Au long de ma pratique en tant que psychologue, j'ai aussi maintes fois constaté l'ignorance des gens face à leurs «maladies». Nombreux sont ceux qui ne comprennent pas les différents diagnostics posés. Alors il faut leur expliquer longuement, pour qu'ils puissent saisir ce qui se passe en eux, sinon ils se nourrissent d'idées préconçues, se construisent des drames intérieurs et alimentent ainsi leur anxiété. La connaissance de ce qu'ils ont ou de ce qu'ils n'ont pas est effectivement un élément important dans la prise en charge de leur santé. Cet élément vaut pour toutes les maladies. Cette connaissance permet de mieux accepter le diagnostic, donc de mieux cerner le problème auquel ils sont confrontés. De là, des solutions peuvent être envisagées et par la suite être mises de l'avant. Dans le cas du mal de dos, qui est un problème tellement mal connu, il ne peut en résulter, dans le monde médical, que de nombreuses «zones d'incertitude» et en conséquence beaucoup d'insécurité et de tension.

Le Dr Sarno mentionne que certains traits de personnalité semblent se retrouver chez les gens souffrant d'un S.T.M. À cet effet, il nous rappelle les travaux des Drs Friedman et Rosenman: les gens souffrant d'un S.T.M. seraient de type A plutôt que B. C'est une piste de recherches intéressante qu'il faudrait explorer; pour ma part, cette hypothèse m'apparaît très vraisemblable. Les clients qui sont venus me consulter et qui présentaient des problèmes de dos ont pour la plupart les traits de personnalité mentionnés par le Dr Sarno. Ce sont des gens responsables et fortement motivés à réussir ou dans leur travail ou dans leur vie familiale. Le travail est pour eux une source de valorisation importante. Ils ont tous des problèmes de douleurs chroniques et des troubles d'anxiété.

Le ton mordant et sévère qu'emploie occasionnellement le Dr Sarno envers ses collègues est une gifle révélatrice. Ses idées vont tellement à l'encontre des enseignements habituellement donnés qu'elles provoquent des réactions violentes du milieu médical. Il en est très conscient; cependant, les gens œuvrant dans les milieux de la santé se doivent de se poser constamment des questions sur leurs connaissances et sur leurs manières de soigner leurs patients et ils auraient intérêt à écouter ce que le Dr Sarno a à leur dire.

Les limites de cette approche

La première condition nécessaire pour obtenir quelque succès chez une personne ayant des maux de dos est une grande ouverture d'esprit. Il faut être prêt à entendre un type de diagnostic différent de ce qu'on reçoit habituellement et il faut pouvoir en tirer tous les enseignements nécessaires. Il faut apprendre à s'ouvrir au monde psychologique, à se défaire des vieilles idées, à faire le lien entre l'esprit et le corps, et à prendre ses responsabilités dans sa santé. Une ouverture d'esprit est nécessaire parce qu'il faut d'une certaine manière se rééduquer. Le corps n'est pas une machine qui fonctionne indépendamment de la tête; cependant, cette croyance est fortement ancrée dans notre société occidentale. Le Dr Sarno pense que son approche ne peut pas convenir à la très grande majorité des gens ayant des maux de dos à cause de la force de cette croyance, tant chez le personnel médical que dans la population.

Je me souviens d'un cas que j'ai eu à traiter. C'était un homme dans la quarantaine, victime d'une entorse lombaire. Examens, expertise et contre-expertise étaient toujours négatifs. Il n'y avait aucune anomalie structurale, seulement des douleurs lombaires telles que décrites pour un S.T.M.; elles duraient depuis des années. Il errait de médecin en médecin pour trouver la cause physique, et personne ne pouvait lui ouvrir l'esprit à d'autres possibilités. Le fait d'avoir à me rencontrer, moi un psychologue, équivalait à un diagnostic de folie, pour lui qui avait toute la gamme des préjugés rattachés au monde psychologique.

La deuxième condition pour espérer avoir du succès dans cette approche du S.T.M. est qu'il faut prendre du temps. Le thérapeute doit prendre conscience qu'il a affaire à des personnes et non à des machines; ces personnes souffrent souvent depuis des années, et il faut être capable de compassion envers elles. Cela requiert du temps. Or notre système de rémunération à l'acte des soins favorise la multiplication des actes médicaux bien souvent au détriment de leur qualité. Pourtant, mon expérience en réadaptation me montre que prendre du temps n'est pas une «perte de temps»: cela a des effets durables et rentables à long terme.

La troisième condition de succès est qu'il est nécessaire que s'établisse un lien de confiance entre la personne soignée et l'intervenant. Une consultation est avant tout la rencontre de deux êtres humains. Il faut donc que s'établissent des relations interpersonnelles de qualité entre la personne et l'intervenant; pour ce faire, nous revenons encore au besoin essentiel de temps.

Le traitement mis de l'avant par le Dr Sarno va à l'encontre des enseignements officiels et cela crée de sérieux remous dans le monde médical. Il faudra attendre longtemps pour que ces idées fassent leur chemin. D'après les discussions que j'ai eues avec le Dr Sarno, il rencontre beaucoup d'opposition aux États-Unis, car sa méthode menace des intérêts importants et réveille bien des susceptibilités. Même lui protège le «pouvoir médical» en fermant la porte à tout intervenant «extérieur». Il lie en effet la crédibilité au titre de médecin. Il croit que les soirées d'information doivent être données par un médecin pour que les patients aient pleine confiance. Je crois qu'il a tort. D'abord, il n'a jamais essayé de faire animer les rencontres d'information par quelqu'un d'autre qu'un médecin. Ensuite, la crédibilité n'est pas reliée à une profession en particulier mais elle est plutôt le résultat d'une relation de confiance entre des individus. Elle sera donc fonction de la vraisemblance des propos tenus par un individu sur un sujet donné. D'autres facteurs peuvent aussi jouer, telle l'apparence extérieure de l'intervenant. Malgré tout, il est important de noter qu'il faut être crédible à l'autre pour qu'il puisse s'ouvrir sur des horizons nouveaux.

Les recherches sur la douleur chronique montrent qu'elle est une expérience subjective influencée par des événements de notre enfance, par des variables culturelles et ethniques, par des facteurs socio-économiques, par des prédispositions génétiques et par des facteurs physiques, perceptuels, cognitifs et émotifs. On doit traiter une personne qui souffre plutôt que la douleur. Les limites du traitement sont donc fonction des limites personnelles de chaque individu. Les croyances de notre civilisation occidentale qui favorise la dichotomie entre le corps et l'esprit constituent un frein important aux possibilités de succès d'une méthode comme celle mise au point par le Dr Sarno. Plusieurs personnes vivent dans des situations qui leur causent des conflits psychologiques importants, lesquels, à leur tour, provoquent tension musculaire et douleurs. Or ces situations sont souvent difficiles à changer. Ces gens, même s'ils possèdent une bonne connaissance de leur diagnostic, ont encore des problèmes de douleurs chroniques parce qu'ils sont incapables d'agir sur les sources de leur stress.

Lors de mes discussions avec le Dr Sarno, celui-ci m'a confié que son syndrome pouvait s'élargir pour inclure d'autres symptômes physiques comme les tendinites. Je crois en effet que ce concept peut englober une liste très longue de symptômes ou de maladies. En fait, les facteurs psychologiques jouent un rôle important dans la plupart des maladies.

En résumé, si les gens sont d'accord avec les connais- sances qui leur sont transmises lors des différentes rencontres, ils se retrouvent face à eux-mêmes et à leurs problèmes quotidiens. S'ils peuvent agir rapidement et efficacement, les douleurs disparaîtront. Ceux qui n'ont pas les habiletés nécessaires pour réagir doivent tenter de les acquérir; mais il y a toujours des gens trop démunis et il y a ceux qui ne veulent pas s'ouvrir aux nouvelles possibilités.

Le S.T.M. dans ma pratique

Dans ma pratique, j'ai à voir de nombreuses personnes aux prises avec le mal de dos. Je me sers du livre du Dr Sarno comme outil de référence. Ceux qui acceptent de le lire comprennent rapidement l'origine de leur mal et voient habituellement comment se servir de cette information d'une façon appropriée, dans leur vie quotidienne. À ceux qui ne lisent pas (parce qu'ils sont analphabètes ou bien parce qu'ils n'aiment pas les activités intellectuelles), j'en enseigne personnellement le contenu adapté à leur propre situation. Et ce n'est qu'un outil parmi d'autres pour les aider à comprendre ce qu'ils vivent. J'utilise souvent des fiches d'auto-observation qui leur permettent de faire le lien entre les symptômes d'ordre physique et les vécus émotifs. Les douleurs ou les symptômes constituent des signaux d'alarme qui nous informent des tensions et conflits; c'est un langage qu'il faut apprendre à décoder.

DÉJÀ PARUS DANS LA COLLECTION SANTÉ

Alternatives
Les Médecines douces au Québec, Monique de Gramont
La Médecine naturopathe, Roger N. Turner
Les Maladies de l'environnement, G.T. Lewith et J.N. Kenyon
Les Guérisseurs, Bruce MacManaway et Johanna Turcan
Mieux connaître l'acupuncture, G.T. Lewith
L'ostéopathie, Leon Chaitow
Homéopathie, Keith Scott et Linda McCourt

Dictionnaires
Dictionnaire des médicaments de A à Z, Serge Mongeau et Marie Claude Roy
Dictionnaire pratique des médecines douces, en collaboration
Dictionnaire des remèdes naturels, Mark Bricklin
Dictionnaire pratique d'automassage, Dr Denis T. Top
Dictionnaire des vitamines, Leonard Mervin
Nouveau dictionnaire des médicaments, Serge Mongeau et Marie Claude Roy

Guides pratiques
Augmentez votre énergie par des moyens naturels, Sharon Faelten
Crampes et malaises menstruels, Marcia Storch et Carrie Carmichael
Guide pratique d'autoguérison, E.H. Shattock
La Dépression, Caroline Shreeve
Apprendre le massage, Gilles Arbour
Pour arrêter de vieillir, Elsye Birkinshaw

Idées

Prévention

Témoignages

1 mars.